MW00611283

中国国家汉办赠送
Donated by Hanban,China

教材项目规划小组

严美华　　姜明宝　　王立峰
田小刚　　崔邦焱　　俞晓敏
赵国成　　宋永波　　郭　鹏

教材编写委员会

主　任：陶黎铭
副主任：陈光磊　吴叔平
成　员：陈光磊　高顺全　陶黎铭
　　　　吴金利　吴叔平　吴中伟

顾　问　Richard King
　　　　Helen Xiaoyan Wu
　　　　Robert Shanmu. Chen

中国国家对外汉语教学领导小组办公室规划教材

Project of NOTCFL of the People's Republic of China

Dāngdài Zhōngwén

当 代 中 文

Contemporary Chinese

Hànzì Běn

汉字本

2

CHARACTER BOOK

Volume Two

主　　编：吴中伟

编　　者：吴中伟　高顺全

　　　　　吴金利　吴叔平

翻　　译：Christina P. Chen

　　　　　Catharine Y. Chen

译文审订：Jerry Schmidt

华语教学出版社

SINOLINGUA

First Edition   2003
Second Printing   2006

ISBN 7 - 80052 - 903 - 7
Copyright 2003 by Sinolingua
Published by Sinolingua
24 Baiwanzhuang Road, Beijing 100037, China
Tel: (86) 10-68995871
Fax: (86) 10-68326333
—   http//: www. sinolingua.com.cn
E-mail: hyjx@ sinolingua.com.cn
Printed by Beijing Songyuan Printing Co. Ltd.
Distributed by China International
Book Trading Corporation
35 Chegongzhuang Xilu, P.O. Box 399
Beijing 100044, China

Printed in the People's Republic of China

Mùlù
目 录
Contents

第一课	Dì-yī Kè	1
第二课	Dì-èr Kè	15
第三课	Dì-sān Kè	31
第四课	Dì-sì Kè	47
第五课	Dì-wǔ Kè	62
第六课	Dì-liù Kè	76
第七课	Dì-qī Kè	87
第八课	Dì-bā Kè	102
第九课	Dì-jiǔ Kè	117
第十课	Dì-shí Kè	130
第十一课	Dì-shíyī Kè	144
第十二课	Dì-shí'èr Kè	156

汉字索引(简体字)Hànzìsuǒyǐn (jiǎntǐzì) Character Index (Simplified Characters) 170

汉字索引(繁体字)Hànzìsuǒyǐn (fántǐzì) Character Index (Complex Characters) 174

第一课　我以前养过鸟儿

汉字

The symbol, "Ⓑ" after a character, means that the character is a bound morpheme here. The figure after the character stands for the stroke number of the character.

---

1. 条　7　tiáo

条 条 条 条 条 条 条

夂　+　朩

◆ 一条河　一条马路　一条狗　一条鱼

- -

2. 狗　8　gǒu　dog

狗 狗 狗 狗 狗 狗 狗

犭　+　句

◆ 一条狗　一只小狗

狗是我们的好朋友。

3. 养　9　yǎng　to raise, to keep, to grow　養

养 养 养 养 养 养 养 养 养

关　+　八

养花儿　养狗　养鸟儿

我以前养过花儿。

4. 花　7　huā　flower

花 花 花 花 花 花 花

艹　+　化

花儿很漂亮。

5. 鸟　5　niǎo　bird　鳥

鸟 鸟 鸟 鸟 鸟

一只鸟儿在天上飞。

6. 但　7　dàn　but

但 但 但 但 但 但 但

亻　+　旦

但是

7. 喜　12　Ⓑ　xǐ

喜 喜 喜 喜 喜 喜 喜 喜 喜 喜 喜 喜

喜欢

8. 听　7　tīng　to listen　聽

　　⋈　听　听　听　听　听　听　听

　　⋈　口　＋　斤

　　◆　请听我说。　　听见　to hear

　　　　听说他在北京有一个朋友,不知道是不是真的。

---

9. 城　9　Ⓑ　chéng　city wall, wall, city

　　⋈　城　城　城　城　城　城　城　城　城

　　⋈　土　＋　成

　　◆　城市　　长城

10.* 猫　11　māo　cat

　　⋈　猫　猫　猫　猫　猫　猫　猫　猫　猫　猫　猫

　　⋈　犭　＋　苗

　　◆　一只猫

---

11. 鱼　8　yú　fish　魚

　　⋈　鱼　鱼　鱼　鱼　鱼　鱼　鱼　鱼

　　◆　一条鱼

---

12. 动　6　Ⓑ　dòng　動

　　⋈　动　动　动　动　动　动

　　⋈　云　＋　力

　　◆　动物

13. 物　8　Ⓑ　wù

物 物 物 物 物 物 物 物

牛　＋　勿

动物　事物　thing, object

---

14. 麻　11　Ⓑ　má

麻 麻 麻 麻 麻 麻 麻 麻 麻 麻 麻

广　＋　林

麻烦

---

15. 烦　10　Ⓑ　fán　煩

烦 烦 烦 烦 烦 烦 烦 烦 烦 烦

火　＋　页

有麻烦　很麻烦
对不起,麻烦你了!

---

16. 间　7　Ⓑ　jiān　間

间 间 间 间 间 间 间

门　＋　日

时间
我现在很忙,没有时间。

17. 己　3　Ⓑ jǐ self

己 己 己

自己　我自己　他们自己

自己的事自己办。

       *   *   *

18. 办　4　bàn　to do, to handle, to attend to　辦

办 办 办 办

办点儿事　怎么办　what's to be done?

办公室　bàngōngshì　office

19.* 熟　15　Ⓑ shú

熟 熟 熟 熟 熟 熟 熟 熟 熟 熟 熟 熟 熟 熟

孰　+　灬

熟悉

20.* 悉　11　Ⓑ xī

悉 悉 悉 悉 悉 悉 悉 悉 悉 悉 悉

采　+　心

熟悉

我跟他们不熟悉。

我刚来，对这儿不太熟悉。

21. 些　8　Ⓑ　xiē

✳ 些　些　些　些　些　些　些　些

✖ 此 ＋ 二

◆ 一些　这些　那些　哪些

22. 照　13　Ⓑ　zhào

✳ 照　照　照　照　照　照　照　照　照　照　照　照　照

✖ 昭 ＋ 灬

◆ 拍照　照片

23. 片　4　Ⓑ　piàn

✳ 片　片　片　片

◆ 照片

24. * 登　12　dēng　to climb

✳ 登　登　登　登　登　登　登　登　登　登　登　登

✖ 癶 ＋ 豆

◆ 登山　登长城

25. 欢　6　Ⓑ　huān

✳ 欢　欢　欢　欢　欢　欢

✖ 又 ＋ 欠

◆ 喜欢　欢迎

26. 迎　7　Ⓑ　yíng

迎 迎 迎 迎 迎 迎 迎

◆ 欢迎

欢迎，欢迎！　欢迎你来！

---

27. 陪　10　péi　to accompany

陪 陪 陪 陪 陪 陪 陪 陪 陪 陪

阝 ＋ 音

◆ 要不要我陪你回家？　Do you want me to accompany you home?

28.* 得　11　děi　have to, ought to

得 得 得 得 得 得 得 得 得 得 得

彳 ＋ 寻

◆ 现在我得回家了。　你得早一点儿告诉我。

---

29. 飞　3　fēi　to fly　飛

飞 飞 飞

◆ 飞机

鸟会飞，人不会飞。

30. 机　6　Ⓑ　jī　machine　機

〉| 机　机　机　机　机　机

|〈 木　＋　几

◆ 飞机　电视机　电话机

机会　chance, opportunity

---

31. 票　11　piào　ticket

〉| 票　票　票　票　票　票　票　票　票　票　票

✕ 西　＋　示

◆ 一张票　飞机票　汽车票　买票

---

32. 所　8　Ⓑ　suǒ

〉| 所　所　所　所　所　所　所　所

|〈 戶　＋　斤

◆ 所以

---

33. 拍　8　pāi　to take photos

〉| 拍　拍　拍　拍　拍　拍　拍　拍

|〈 扌　＋　白

◆ 拍照片　拍照

能不能帮我们拍一张照？

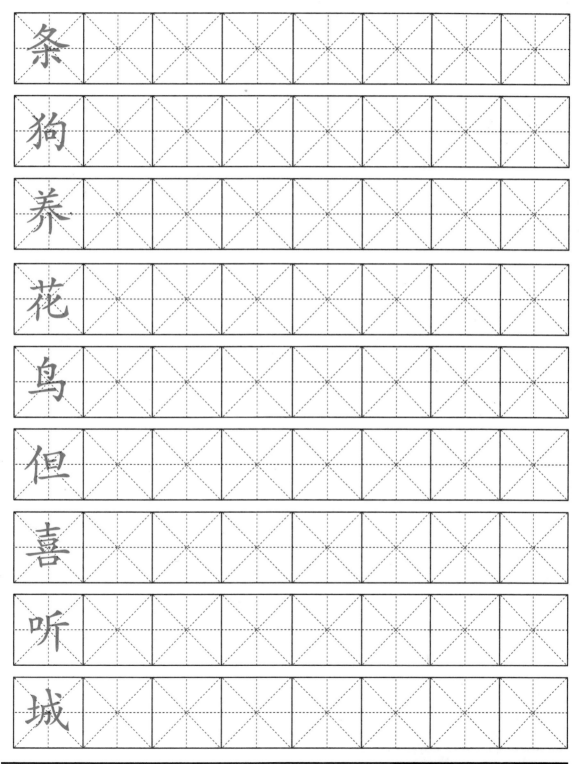

条
狗
养
花
鸟
但
喜
听
城

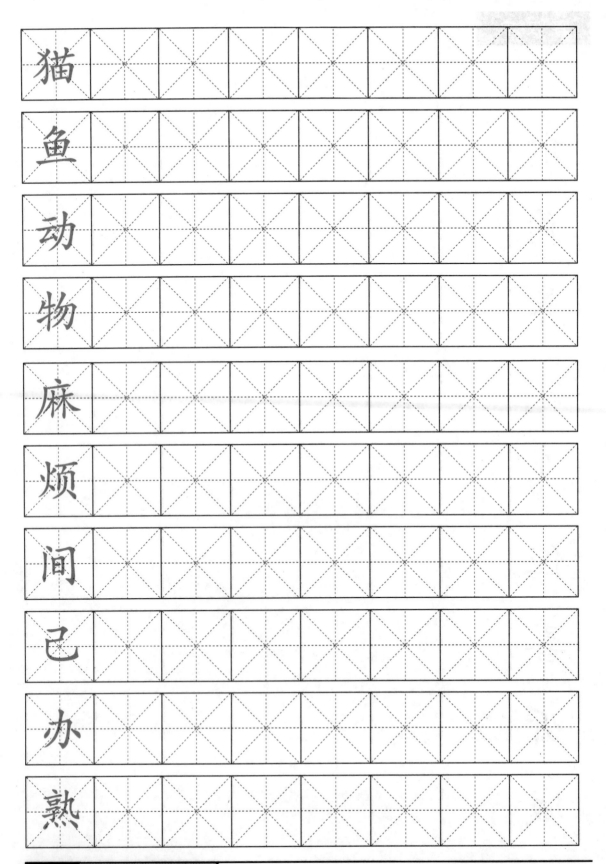

猫

鱼

动

物

麻

烦

间

己

办

熟

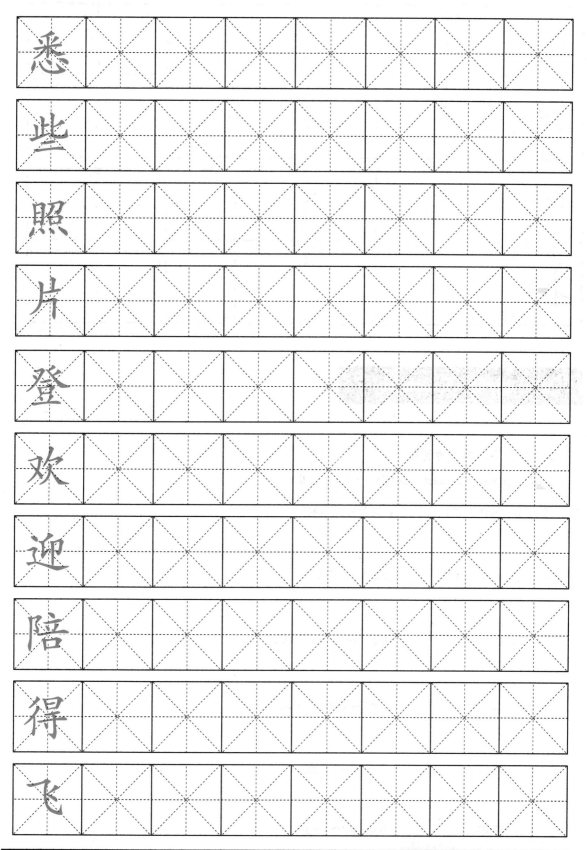

悉

些

照

片

登

欢

迎

陪

得

飞

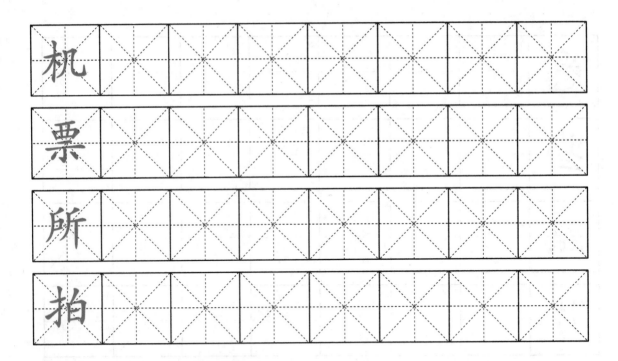

一、写出含有下列偏旁的汉字：

Write Chinese characters containing these radicals：

犭　fǎnquǎnpáng　　　(the "dog" side)

扌　tíshǒupáng　　　(the "hand" side)

木　mùzìpáng　　　(the "tree/wood" side)

辶　zǒuzhī　　　(the "walking" part)

灬　sìdiǎndǐ　　　(the "fire" bottom)

艹　cǎozìtóu　　　(the "grass" top)

土　　tǐtǔpáng　　　　　　　　　(the "earth/soil" side)

火　　huǒzìpáng　　　　　　　　(the "fire" side)

阝　　zuǒ'ěrpáng　　　　　　　　(the "left-ear/hill" side)

二、补上丢失的笔画：

Supply the missing strokes：

喜　城　乌　迎　牧

三、组词：

Form words or phrases：

办（　　　　　）　　　　　　为（　　　　　　　　）

问（　　　　　）　　　　　　间（　　　　　　　　）

听（　　　　　）　　　　　　所（　　　　　　　　）

票（　　　　　）　　　　　　漂（　　　　　　　　）

四、看拼音写汉字：

Write Chinese characters according to the *pinyin*：

1. Zhèxiē zhàopiàn dōu hěn piàoliàng.

2. Wǒ yào mǎi yì zhāng fēijīpiào.

3. Tā bù xǐhuan yǎng dòngwù.

4. Yǎng huār bǐjiào máfan, dànshi hěn yǒu yìsi.

五、猜一猜下面的句子是什么意思：

Guess the meanings of these sentences:

1. 能不能麻烦您帮我们拍一张照片？

2. 自己的事自己办，别去麻烦别人。

3. 你刚来，对这儿还不熟悉，我陪你去吧！

4. 他因为要去车站接一位朋友，所以今天下午不能来上课了。

5. 你要是去过北京的话，一定听说过"不到长城非好汉"这句话。

Points about Chinese characters

Of the 6600 Chinese characters in common use today, characters with nine strokes constitute the largest percentage, with a total of 785 characters. Which Chinese characters have the least number of strokes? Of course, they are 一 and 乙. Which character has the greatest number of strokes? You probably don't know the word. It is 齉, with 36 strokes. It is read "nàng," and it means, "snuffling" or "speaking with a snuffle." This is indeed a rarely used word.

第二课　她去医院了

汉字

1. 住　7　zhù　to live

住 住 住 住 住 住 住

亻 ＋ 主

◆ 你住(在)哪儿?

2. 宿　11　Ⓑ　sù　to stay over night

宿 宿 宿 宿 宿 宿 宿 宿 宿 宿 宿

宀 ＋ 佰

◆ 宿舍

3. 舍　8　Ⓑ　shè　house

舍 舍 舍 舍 舍 舍 舍 舍

◆ 宿舍

4.* 餐　16　Ⓑ　cān　meal , food

　餐 餐 餐 餐 餐 餐 餐 餐 餐 餐 餐 餐 餐 餐 餐 餐

　歺 ＋ 又 ＋ 食

　餐厅　餐车　中餐　西餐

5.* 厅　4　tīng　hall　廳

　厅 厅 厅 厅

　餐厅　客厅　sitting room, parlor

---

6. 正　5　zhèng

　正 正 正 正 正

　正在休息　公正　fair　正好　just right

---

7. 睡　13　shuì　to sleep

　睡 睡 睡 睡 睡 睡 睡 睡 睡 睡 睡 睡 睡

　目 ＋ 垂

　睡觉

---

8. 觉　9　Ⓑ　jiào　覺

　觉 觉 觉 觉 觉 觉 觉 觉 觉

　⺍ ＋ 见

　睡觉　睡了一觉

9. 肯　8　Ⓑ　kěn

　⧑　肯　肯　肯　肯　肯　肯　肯　肯

　⧗　止　＋　月

　◆　肯定

---

10. 定　8　Ⓑ　dìng　surely

　⧑　定　定　定　定　定　定　定　定

　⧗　宀　＋　疋

　◆　一定　肯定

　　这条小狗一定/肯定是他家的。

　　你说附近有一个银行,你能肯定吗?

---

11. 已　3　Ⓑ　yǐ　already, finished (to connote an end)

　⧑　已　已　已

　◆　已经

---

12. 经　8　Ⓑ　jīng　經

　⧑　经　经　经　经　经　经　经　经

　⧔　纟　＋　圣

　◆　已经　经常　often　经过　to pass, to go through, to go by

13. 床　7　chuáng　bed

　　床 床 床 床 床 床 床

　　广　+　木

　　一张床　起床　在床上

---

14. 错　13　cuò　wrong　错

　　错 错 错 错 错 错 错 错 错 错 错 错 错

　　钅　+　昔

　　我错了。

　　这张地图很不错(not bad)

---

15. 医　7　Ⓑ　yī　醫

　　医 医 医 医 医 医 医

　　匚　+　矢

　　医生　医院　中医　西医　医学院　college of medicine

---

16. 院　9　Ⓑ　yuàn

　　院 院 院 院 院 院 院 院 院

　　阝　+　完

　　学院　医院　院子　courtyard

17. 病　10　bìng　to be sick; sickness

病 病 病 病 病 病 病 病 病 病

疒　+　丙

他病了。　他生病了。　他生什么病？
他有病。

18.* 舒　12　Ⓑ　shū

舒 舒 舒 舒 舒 舒 舒 舒 舒 舒 舒 舒

舍　+　予

我有点儿不舒服。
他每天看看电视，喝喝咖啡，真舒服。

19. 肚　7　Ⓑ　dù　stomach

肚 肚 肚 肚 肚 肚 肚

月　+　土

肚子

20. 疼　10　téng　ache, pain; painful, sore

疼 疼 疼 疼 疼 疼 疼 疼 疼 疼

疒　+　冬

我肚子疼。　我有点儿头疼。

21. 净　8　Ⓑ　jìng　clean

※ 净 净 净 净 净 净 净 净

※ 冫 ＋ 争

◆ 干净

---

22. 包　5　Ⓑ　bāo

※ 包 包 包 包 包

※ 勹 ＋ 巳

◆ 包子　stuffed bun　面包

---

23. 喝　12　hē　to drink

※ 喝 喝 喝 喝 喝 喝 喝 喝 喝 喝 喝 喝

※ 口 ＋ 曷

◆ 喝水

---

24. 杯　8　bēi　cup

※ 杯 杯 杯 杯 杯 杯 杯 杯

※ 木 ＋ 不

◆ 一个杯子　一杯咖啡　一杯牛奶

---

25. 奶　5　nǎi　milk

※ 奶 奶 奶 奶 奶

※ 女 ＋ 乃

◆ 牛奶　奶奶　grandma

26. 昨　9　Ⓑ　zuó　yesterday

昨 昨 昨 昨 昨 昨 昨 昨 昨

日　+　乍

昨天

27. 新　13　xīn　new

新 新 新 新 新 新 新 新 新 新 新 新 新

亲　+　斤

新衣服　新书

28. 鲜　14　Ⓑ　xiān　fresh, delicious　鮮

鲜 鲜 鲜 鲜 鲜 鲜 鲜 鲜 鲜 鲜 鲜 鲜 鲜 鲜

鱼　+　羊

新鲜

这个汤很鲜,很好喝。

29. 药　9　yào　medicine　藥

药 药 药 药 药 药 药 药 药

艹　+　约

吃药

中药　traditional Chinese medicine

西药　Western medicine

30.* 着   11   Ⓑ   zháo

※ 着 着 着 着 着 着 着 着 着 着 着

✕ 羊 ＋ 目

◆ 着急

31.* 急   9   jí   anxious, urgent

※ 急 急 急 急 急 急 急 急 急

✕ 刍 ＋ 心

◆ 着急   急忙 in a hurry

---

32. 完   7   wán   to finish

※ 完 完 完 完 完 完 完

✕ 宀 ＋ 元

◆ 做完   喝完   写完   学完

我说完了。 你吃完了没有?

33.* 厕   8   Ⓑ   cè   廁

※ 厕 厕 厕 厕 厕 厕 厕 厕

✕ 厂 ＋ 则

◆ 厕所

我要上厕所。

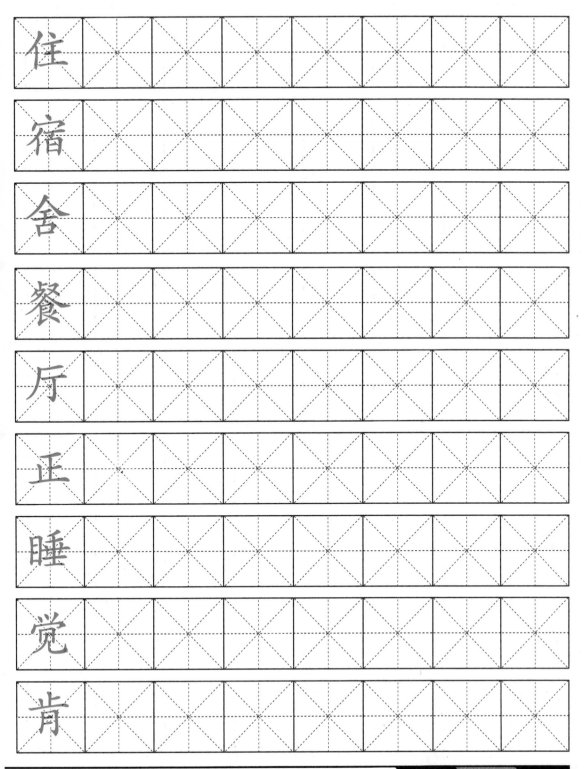

住
宿
舍
餐
厅
正
睡
觉
肯

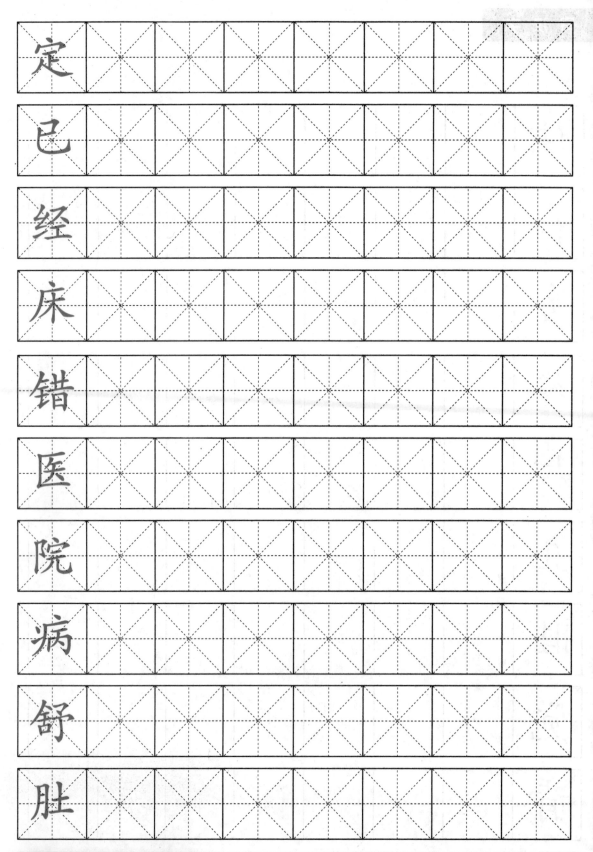

定

已

经

床

错

医

院

病

舒

胜

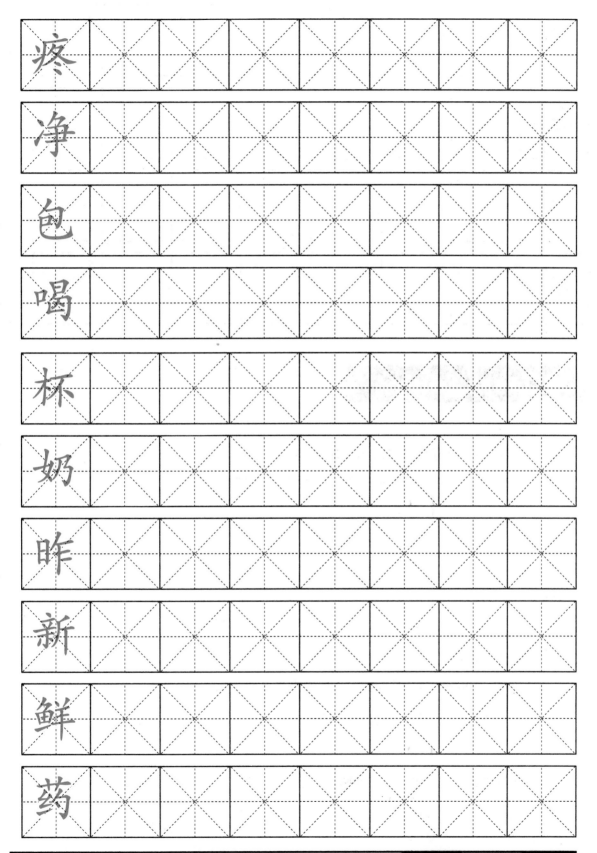

疼

净

包

喝

杯

奶

昨

新

鲜

药

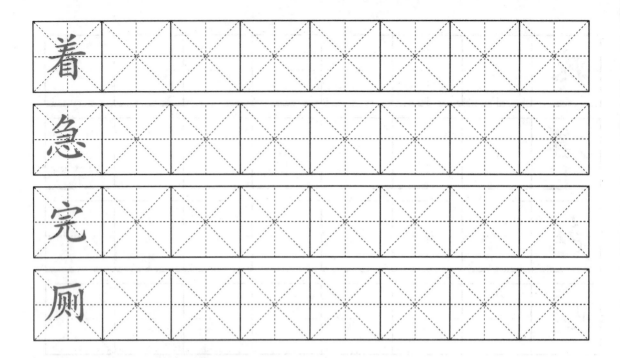

着

急

完

厕

练习 liànxí **Exercises**

一、给下面的字加上一个偏旁，把它变成另外一个字：

Add a radical to each character to change it into another character：

不

完

木

约

二、写出含有下列偏旁的汉字：

Write Chinese characters containing these radicals：

疒　bìngzìpáng　　(the "sickness" side)

目　mùzìpáng　　(the "eye" side)

木　mùzìpáng　　　(the "tree/wood" side)

艹　cǎozìtóu　　　(the "grass" top)

钅　jīnzìpáng　　　(the "gold/metal" side)

三、补上丢失的笔画：

Supply the missing strokes：

睡　庝　喝　医

四、组词：

Form words or phrases：

己 (　　　　　　)　　　已 (　　　　　　　　)
是 (　　　　　　)　　　定 (　　　　　　　　)
病 (　　　　　　)　　　疼 (　　　　　　　　)
作 (　　　　　　)　　　昨 (　　　　　　　　)
听 (　　　　　　)　　　新 (　　　　　　　　)
麻 (　　　　　　)　　　床 (　　　　　　　　)
完 (　　　　　　)　　　玩 (　　　　　　　　)
好 (　　　　　　)　　　奶 (　　　　　　　　)
往 (　　　　　　)　　　住 (　　　　　　　　)
百 (　　　　　　)　　　宿 (　　　　　　　　)

五、看拼音写汉字：

Write Chinese characters according to the *pinyin*：

1. Tā xiànzài zhèngzài shuìjiào.

2. Dàjiā dōu láile méiyǒu?

3. Tāmen dōu zhù xúesheng sùshè.

4. Diàn li de dōngxi hěn xīnxiān, hěn gānjìng, yě hěn piányi.

六、猜一猜下面的句子是什么意思:

Guess the meanings of these sentences:

1. 他去医院看病, 还没回来。

2. 药已经吃了不少, 但是病还没有好。

3. 今天早上我只吃了几片面包, 现在肚子饿 (è, hungry) 了。

4. 每天我起床的时候, 他还没睡觉; 我睡觉的时候, 他刚起床。

5. 以前, 他最头疼的事就是写汉字, 现在, 他最喜欢的事就是写汉字。

Points about Chinese characters

There are basically two ways to look up a word in a Chinese dictionary: either by using the *pinyin* index or by using the radical index.

If you know the pronunciation of a character, you may find out its meaning by consulting the dictionary using its *pinyin* index. Just follow the alphabetical order of the *pinyin*, which is the same as that of the English alphabet, to find the page number for the character.

If you come across a character that you don't know how to pronounce, then you must use the radical index. First, you determine the radical of the character and the number of strokes in the radical. Then consult the radical index to obtain the page number of the radical entry in the index of entries. Finally, count the number of strokes in the character, excluding the radical, and consult the corresponding group to find the character, and its number in the dictionary.

匚部

二至四画
区 941
匹 1042
巨 967
匝 683
匜 983
匦 1564
匼 1483
匠 734
匣 627

五画以上
匦 1354
匽 1481
匼 475
匿 710
匮 925
匾 364
匦 738
匿 941
匿 1042
匾 76
匱 564
匵 782
匵 1574
匵 782
匵 311

卜(⺊)部

卜 99
　 100
上 1105
卡 735
占 696
　 1006
外 1580
卢 1582
　 1292
贞 1170
卣 821
卓 873
　 1530

厂部

厂 6
　 143
厅 1257
仄 1574
历 776
厄 328
厉 776
压 1437
　 1437
　 1441
　 1452
　 1442
　 1449
　 692
厌 1115
库 779
励 1440
(厓) 1622
屋 126

厂部 (续)

卖 847

七至十画
南 907
　 911
真 1598
隼 1211
(㝈) 1090
　 1213
索 1012
(乾) 404
啬 1092
博 97
(丧) 1090

十一画以上
(斡) 410
(啬) 1092
(準) 1658
(斡) 410
斡 1325
兢 666
嘏 453
（㡿）609
廛 1626
廒 1626
(憙) 498
矗 191

七至八画
(庞) 951
厘 770
厚 528
(厔) 1257
厝 220
原 1547

九至十画
厢 1374
厩 1449
厥 677
厨 13
厦 188
厨 1097

十一画以上
(麻) 1360
雁 776
厥 1453
（厴）658
（厭）188
厮 1194
（屬）776
厰 143
靥 1471
靨 1452
（厲）1453
（廩）1453
（魘）781
（歷）776
（曆）776
（曆）692
厴 1437
靥 1452
（魘）1442
（饜）1449
（贋）692
（魘）1471
（魘）1452
（曆）1453
1452

刂部

剚 336
刦 204
剞 209
　 22
剐 727
　 256
剥 477
　 703
剧 1622
剨 457

九至十一画
剳 570
　 397
（劊）703
（劌）1135
剸 196
剩 198
割 422
剽 731
剿 971
（剴）819
剿 137
　 147
　 637

十二画以上
劂 691
劁 1577
劂 1578
劃 1019
（劌）1644
（劋）541
劈 545
劈 548
　 477
劖 570
（劍）684
劘 622
（劖）656
658

冂部

(卅) 1056
冈 411
　 918
内 1056
冉 126
(冊) 560
同 1263
　 1268
网 1302
肉 1073
冏 673
周 1635
(罔) 411
罔 1303
(罦) 460

亻部

一画
亿 1490

二画
仁 1065
什 1122
　 1141
仃 293
仆 986
　 987
仉 1586
仇 178
　 1040
化 536
　 543
仍 1068
仂 762
仅 656
仪 658

三画
仨 1083
仕 1152
仗 1587
代 240
付 392
仙 1360
仟 1007

（二至三画）
刘 1491
刊 703
刋 219

四画
刑 1407
刓 1296
列 796
划 541
　 545
　 548
　 411
　 1573
剐 196
　 198
删 745
　 745
　 819
　 669

五画
划 137
　 138
（刜）645
（刭）1493
判 1100
　 86
　 87
别 1588
刜 779
利 1100
删 48
刨 953
　 949
判 386
制 1596
刺 669
刺 737

六画
刹 985
剃 1102
　 1449
剁 1295
　 42
　 95
剞 684
剥 324

刂部 (续)
剖 1095
剜 325
　 325
剐 599
剔 1177
　 1178
荆 665
剌 718
剞 714
刺 745
　 745
到 819
刻 669
　 669
　 669
剀 1428
剐 458
剑 622
到 220
前 1010
剃 1241
剃 671
　 584
　 137
　 138
剔 366
剷 1237
剧 669
（剛）411
（剴）458
（剮）1036

七画
剞 133
（剗）1095
剒 325
　 325
剳 599
剩 1177
　 1178
荆 665
剚 718
剞 714
刺 745
　 745
刺 809
（剷）1497
（剃）599
619
896
1644
772

[下半部：部首目录]

一画
一 14
丨 15
丿 15
丶 15
乙(乚一㇉) 15
乚 15

二画
二 15
十 15
厂 16
匚 16
卜(⺊) 16
刂 16
冂 16
亻 16
八(丷) 18

（见刀）
儿(几) 18
几 18
亠 19
冫 19
讠(訁) 19
卩(巳) 20
阝(在左) 20
阝(在右) 20
凵 20
刀(⺈) 21
力 21

三画
工 21
土 22
士 22
艹 24
廾(在下) 24
大 25
尤 25
扌 26
寸 26
弋 26
小(⺌) 26

巴(㔾) 30
彳 31
彡 31
夂 31
饣(食) 31
广 31
门(門) 32
氵 34
忄 34
宀 34
辶(辶) 35

女 37
子(孑) 37
纟(糹) 37
马(馬) 38
幺 38

四画
王 38
韦(韋) 39
木 41
犬 41

日 42
日(曰) 42
水(氺) 42
见(貝) 43
牛(牛) 43
手 43
毛 43

文 45
方 45
火 46
斗 46
户 46
礻(示) 46

云南傣族聚居的地区。

【傣族】Dǎizú　我国少数民族之一,分布在云南。

dài （ㄉㄞˋ）

大 dài　义同'大'(dà),用于'大城、大夫、大黄、大王'。

另见230页dà。

【大城】Dàichéng　地名,在河北。

【大夫】dài·fu　医生。

另见231页dàfū。

【大黄】dàihuáng　多年生草本植物,叶子大,花小,黄白色,瘦果褐色。地下块根有苦味,可入药。也叫川军。

【大王】dài·wang　戏曲、旧小说中对国王或强盗首领的称呼。

另见237页dàwáng。

代¹ dài　❶代替:～课|～笔|～销。❷代理:～局长。❸(Dài)姓。

代² dài　❶历史的分期:时代:古～|近～|现～|当～英雄。❷朝代:汉～|改朝换～。❸世系的辈分:第二～|老一～|我们这一～|爱护下一～。❹地质年代分期的第一级,根据动植物进化的顺序分地质年代为太古代、元古代、古生代、中生代和新生代,代以下为纪。跟代相应的地层系统叫做界。

【代办】dàibàn　❶代行办理:～托运|邮政～所。❷一国以外交部长名义派驻另一国的外交代表。❸大使或公使不在职时,在使馆的高级人员中委派的临时负责人员,叫临时代办。

【代笔】dàibǐ　替别人写文章、书信或其他文件:他不便亲自写信,只好由我～。

【代表】dàibiǎo　❶由行政区、团体、机关等选举出来替选举人办事或表达意见的人:人大～。❷受委托或指派代替个人、团体、政府办事或表达意见的人:全权～。❸显示同一类的共同特征的人或事物:～作。❹代替个人或集体办事或表达意见:副部长～部长主持开幕典礼。❺人或事物表示某种意义或象征某种概念:这三个人物～三种不同的性格。

【代表作】dàibiǎozuò　指具有时代意义的或最能体现作者的水平、风格的著作或艺术作品。

【代步】dàibù　〈书〉❶替代步行,指乘车、骑马等。❷指代步的车、马等。

【代称】dàichēng　代替正式名称的另一名称:我国木刻书版向来用梨木和枣木,所以梨枣成了木刻书版的～。

【代词】dàicí　代替名词、动词、形容词、数量词、副词的词,包括:a)人称代词,如'我、你、他、我们、咱们、自己、人家';b)疑问代词,如'谁、什么、哪儿、多会儿、怎么、怎样、几、多少、多么';c)指示代词,如'这、这里、这么、这样、这么些、那、那里、那么、那样、那么些'。

【代代花】dàidàihuā　常绿灌木,小枝细长,有短刺。叶椭圆形。花白色,有香气,可熏茶和制香精。也作玳玳花。

【代电】dàidiàn　旧时一种公文形式,文字简单,像电报,但作快信邮寄,名为快邮代电,简称代电。

【代沟】dàigōu　指两代人之间在价值观念、心理状态、生活习惯等方面的差异:目前青年一代与老一代的～问题是一个热门话题。

【代号】dàihào　为简便或保密用来代替正式名称(如部队、机关、工厂、产品、度量衡单位等的名称)的别名、编号或字母。

【代价】dàijià　❶获得某种东西所付出的钱。❷泛指为达到某种目的所耗费的物质或精力:胜利是用血的～换来的|用最小的～办更多的事情。

【代金】dàijīn　按照实物价格折合的现金,用来代替应该发给或交纳的实物。

【代课】dài∥kè　代替别人讲课:～教师|王老师病了,由李老师～。

【代劳】dàiláo　❶(请人)代替自己办事:我明天不能去,这件事就请你～了。❷代替别人办事:这事由我～,您甭管了。

【代理】dàilǐ　❶暂时代人担任某单位的负责职务:～厂长。❷受当事人委托,代表他进行某种活动,如贸易、诉讼、纳税、签订合同等。

【代理人】dàilǐrén　❶受当事人委托,代表他进行某种活动(如贸易、诉讼、纳税、签订合同等)的人。❷指实际上为某人或集团的利益(多指非法利益)服务的人。

第三课　他们什么时候来的

汉字

1. 借　10　jiè　to lend, to borrow

借 借 借 借 借 借 借 借 借 借

亻　+　昔

◆ 借钱给他 / 借给他钱　lend money to him/ lend him money

跟他借钱　borrow from him

从图书馆借书　borrow a book from the library

2. 房　8　Ⓑ　fáng　house, room

房 房 房 房 房 房 房 房

户　+　方

◆ 房子　房间

3. 拿　10　ná　to hold, to take, to bring

拿 拿 拿 拿 拿 拿 拿 拿 拿 拿

合 ＋ 手

拿东西　拿来 bring (here)　拿去 take (there)

4. 吧　7　ba

吧 吧 吧 吧 吧 吧 吧

口 ＋ 巴

我想,你大概是中国人吧?

你明天来吧。　我们快走吧!

5. 历　4　Ⓑ lì　曆

历 历 历 历

厂 ＋ 力

历史　经历 (to) experience, to go through

历法 calendar

6. 史　5　Ⓑ shǐ　history

史 史 史 史 史

你学过中国历史吗?

你学过中国经济史吗?

7.* 博　12　Ⓑ　bó　rich, abundant

博 博 博 博 博 博 博 博 博 博 博

十 ＋ 専

博物馆　博士　bóshì　doctoral degree, doctorate

8.　馆　11　Ⓑ　guǎn　館

馆 馆 馆 馆 馆 馆 馆 馆 馆 馆 馆

饣 ＋ 官

博物馆　图书馆　茶馆　teahouse　咖啡馆　café

9.　父　4　Ⓑ　fù　father

父 父 父 父

父亲

10.　母　5　Ⓑ　mǔ　mother

母 母 母 母 母

母亲

11.　亲　9　Ⓑ　qīn　parent, blood relation　親

亲 亲 亲 亲 亲 亲 亲 亲 亲

父亲　母亲　父母亲

亲人　family members, dear ones

亲爱的　dear

12. 然 12 Ⓑ rán

然 然 然 然 然 然 然 然 然 然 然 然

肰 + 灬

当然 然后

13. 火 4 huǒ fire

火 火 火 火

火车 火山 volcano 火药 gunpowder 火花 spark

火气 anger, temper 他的火气为什么这么大?

14. 第 11 Ⓑ dì

第 第 第 第 第 第 第 第 第 第 第

⺮ + 弔

第一 第二 第三……

15. 次 6 cì

次 次 次 次 次 次

冫 + 欠

一次 两次 三次

16. 济 9 Ⓑ jì 濟

济 济 济 济 济 济 济 济 济

氵 + 齐

经济

17. 化　4　Ⓑ　huà

化 化 化 化

亻　+　匕

文化

---

18. 感　13　Ⓑ　gǎn

感 感 感 感 感 感 感 感 感 感 感 感

咸　+　心

感动　moved, touched　感冒　gǎnmào catch cold

你对什么最感兴趣？

---

19. 趣　15　Ⓑ　qù　interest

趣 趣 趣 趣 趣 趣 趣 趣 趣 趣 趣 趣 趣 趣

走　+　取

兴趣　有趣　interesting

他很有趣。　我对他不感兴趣。

20.* 通　10　tōng　through, open; expert

通 通 通 通 通 通 通 通 通 通

甬　+　辶

电话没打通。　他是一位"中国通"。

*　　　　　*　　　　　*

21. 意　13　Ⓑ　yì

意 意 意 意 意 意 意 意 意 意 意 意 意

音　+　心

生意　做生意
这个字是什么意思?
汉语很有意思。

22. 应　7　Ⓑ　yīng　ought to, should

应 应 应 应 应 应 应

应该

23. 该　8　Ⓑ　gāi　ought to, should　該

该 该 该 该 该 该 该 该

讠　+　亥

应该
你应该早点儿告诉我。

24.* 恐　10　Ⓑ　kǒng

恐 恐 恐 恐 恐 恐 恐 恐 恐 恐

巩　+　心

恐怕不行。
我看,这些面包恐怕不太新鲜。

25. 怕　8　pà　to fear, to be afraid of

怕 怕 怕 怕 怕 怕 怕 怕

忄　+　白

◆ 恐怕　害怕　hàipà　fear

你怕他什么？

---

26. 期　12　Ⓑ　a period of time, designated time

期 期 期 期 期 期 其 其 期 期 期 期

其　+　月

◆ 星期　学期　过期　到期　to become due

---

27. 快　7　kuài　fast, quick, rapid; soon

快 快 快 快 快 快 快

忄　+　夬

◆ 快车　an express (train, bus)　很快

你快来！　我们快要放假了。

28.* 罚　9　Ⓑ　fá　to fine, to punish　罚

罚 罚 罚 罚 罚 罚 罚 罚 罚

四　+　讠

◆ 罚款

29. * 款 12 Ⓑ kuǎn money

款 款 款 款 款 款 款 款 款 款 款 款

素 + 欠

◆ 罚款

---

30. 规 8 Ⓑ guī 规

规 规 规 规 规 规 规 规

夫 + 见

◆ 这是公司的规定。

31.* 厉 5 Ⓑ lì 屬

厉 厉 厉 厉 厉

厂 + 万

◆ 厉害

32.* 害 10 Ⓑ hài

害 害 害 害 害 害 害 害 害 害

宀 + 吉

◆ 厉害 有害 harmful

---

33. 算 14 suàn to calculate, to count

算 算 算 算 算 算 算 算 算 算 算 算

竹 + 目 + 廾

◆ 打算 算了

34. 参　8　Ⓑ　cān　参

参 参 参 参 参 参 参 参

厶　＋　大　＋　彡

参观

35. 观　6　Ⓑ　guān　觀

观 观 观 观 观 观

又　＋　见

参观　观看　to watch

写汉字

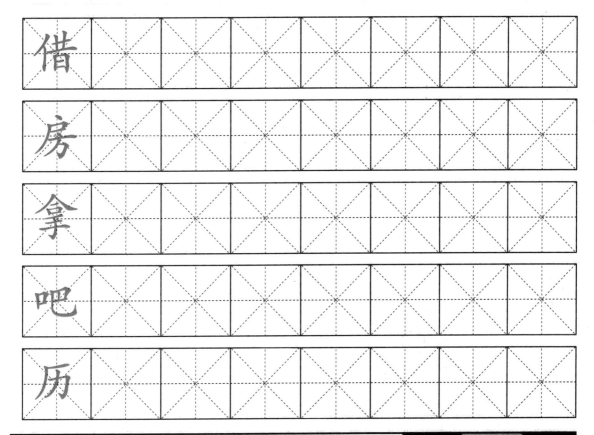

借

房

拿

吧

历

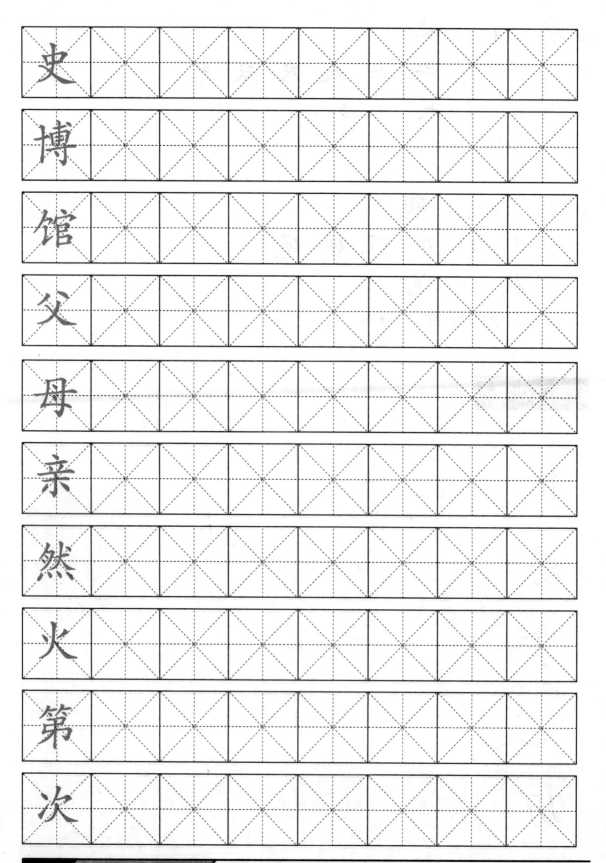

史

博

馆

父

母

亲

然

火

第

次

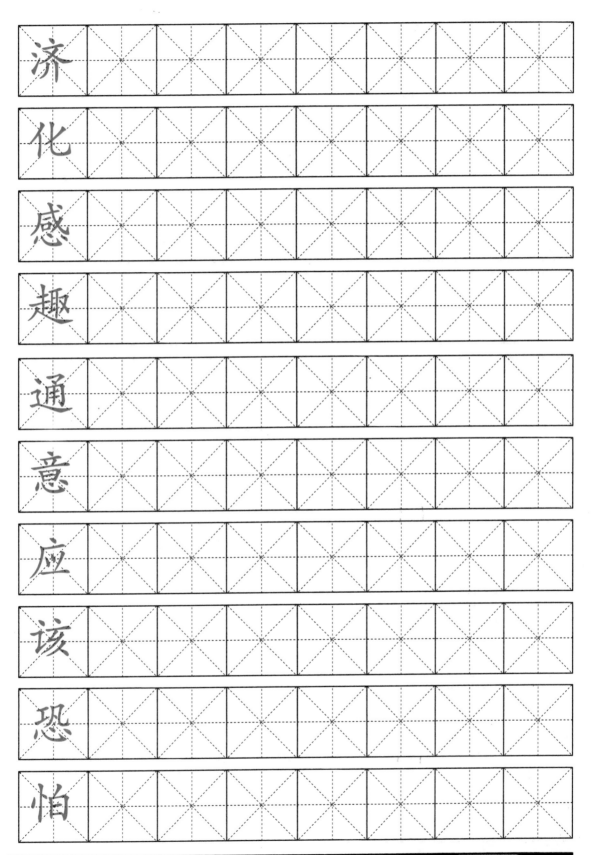

济
化
感
趣
通
意
应
该
恐
怕

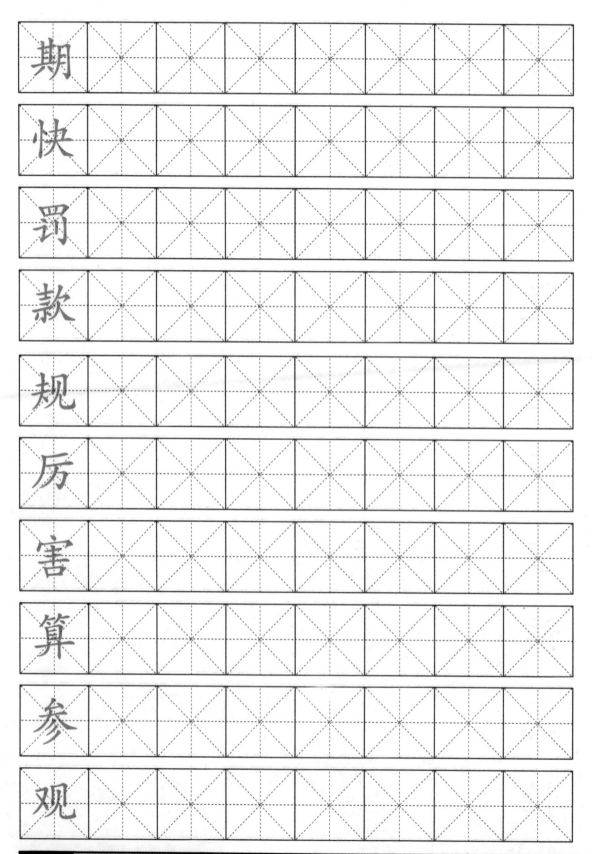

期

快

罚

款

规

厉

害

算

参

观

一、写出含有下列部件的汉字：

Write Chinese characters containing these components：

巴

欠

见

亥

母

亲

力

方

二、写出含有下列偏旁的汉字：

Write Chinese characters containing these radicals：

⺮　zhúzìtóu　　　　　(the "bamboo" top)

忄　shùxīnpáng　　　　(the "heart" side)

心　xīnzìdǐ　　　　　(the "heart" bottom)

氵　sāndiǎnshuǐ　　　　(the "water" side)

三、补上丢失的笔画：

Supply the missing strokes：

算　趣　第　忿　期

四、组词：

Form words or phrases：

化（　　　　　）　　比（　　　　　）

次（　　　　　）　　欢（　　　　　）

快（　　　　　）　　块（　　　　　）

孩（　　　　　）　　该（　　　　　）

历（　　　　　）　　厉（　　　　　）

规（　　　　　）　　观（　　　　　）

五、看拼音写汉字：

Write Chinese characters according to the *pinyin*：

1. Wǒ duì lìshǐ hěn gǎn xìngqù.

2. Nǐ fùmǔqīn dì-yī cì lái Zhōngguó ba?

3. Zhè běn shū shì shénme shíhou jiè de?

4. Tāmen zuótiān cānguānle wǒmen gōngsī.

六、猜一猜下面的句子是什么意思：

Guess the meanings of these sentences：

1. 我最感兴趣的就是经济。

2. 跟这些没文化的人，能说什么呢！

3. 拿这么一点儿钱去做生意，行吗？

4. 你真厉害，他天不怕，地不怕，可就是怕你。

5. 你借的书快到期了吧？小心过了期他们罚你的款！

Points about Chinese characters

The different scripts used for writing Chinese are the result of a continuous evolution from complex to simple forms.

In chronological order, they are:

Inscriptions on Bones or Tortoise Shells (甲骨文 Jiǎgǔ Wén)

Inscriptions on Bronze Vessels (金文 Jīn Wén)

Seal Script (篆书 Zhuàn Shū)

Official Script (隶书 Lì Shū)

Regular Script (楷书 Kǎi Shū)

Cursive-Hand (草书 Cǎo Shū)

Free-Hand (行书 Xíng Shū)

甲骨文

金文

篆书

隶书

楷书

草书

行书

以負砌天祇儼雅而
翊戶或復肩挐摯鳥
肘擺脩虵冠盤巨龍
帽抱猛獸勃如戰色
有奭其容窮繪事之

古代碑帖

第四课　今天你穿得真漂亮

汉字

1. 得　11　de　děi

得 得 得 得 得 得 得 得 得 得 得

彳　+　寻

◆ 她唱得很好。　肚子疼得很厉害。　我得 děi 走了。

2. 活　9　huó　alive; to live

活 活 活 活 活 活 活 活 活

氵　+　舌

◆ 活动　生活　life; to live　活鱼

要是没有水,鱼就不能活。

她活到了九十九岁。

3. 主　5　Ⓑ　zhǔ

主　主　主　主　主

主席　主要　main, chief

主观　subjective　主人　owner, host

主语　subject of a sentence

好主意　good idea

4.* 席　10　Ⓑ　xí　seat

席　席　席　席　席　席　席　席　席　席

广　+　廿　+　巾

主席

5. 总　9　Ⓑ　zǒng　to assemble, general　總

总　总　总　总　总　总　总　总　总

总统　总共　in all, altogether

6. 统　9　Ⓑ　tǒng　统

统　统　统　统　统　统　统　统　统

纟　+　充

总统　统一　to unify, to unite

7. 特　10　Ⓑ　tè

   特　特　特　特　特　特　特　特　特　特

   牛　＋　寺

   特别

---

8. 唱　11　chàng　to sing

   唱　唱　唱　唱　唱　唱　唱　唱　唱　唱　唱

   口　＋　昌

   唱歌　唱一个中国歌

---

9. 歌　14　gē　song

   歌　歌　歌　歌　歌　歌　歌　歌　歌　歌　歌　歌　歌　歌

   哥　＋　欠

   中国歌　国歌　anthem

---

10. 孩　9　Ⓑ　hái　child

   孩　孩　孩　孩　孩　孩　孩　孩　孩

   子　＋　亥

   孩子　男孩儿　女孩儿

11. 跳　13　tiào　to jump

跳 跳 跳 跳 跳 跳 跳 跳 跳 跳 跳 跳 跳

足 ＋ 兆

跳舞　跳一个舞

12. 舞　14　wǔ　dance

舞 舞 舞 舞 舞 舞 舞 舞 舞 舞 舞 舞 舞

无 ＋ 夕 ＋ 牛

跳舞　舞会 dance party

13. 优　6　Ⓑ　yōu　excellent

优 优 优 优 优 优

亻 ＋ 尤

优美　优先 have priority

14. 美　9　měi　beautiful

美 美 美 美 美 美 美 美

羊 ＋ 大

优美　美好 fine, happy　美女 a beauty

美国　U.S.A.

她很美。

15. 认　4　rèn　to recognize, to know, to make out　認

認 认 认 认

讠 ＋ 人

认识

你的孩子这么大了,我都认不出来了。

16. 识　7　Ⓑ　shí　to know　識

识 识 识 识 识 识 识

讠 ＋ 只

认识　知识　knowledge

17. 题　15　tí　topic, title　題

题 题 题 题 题 题 题 题 题 题 题 题 题 题

是 ＋ 页

问题　话题　topic　题目　huàtí　title

这道题我不会做。

＊　　　　＊　　　　＊

18. 祝　9　zhù　to wish

祝 祝 祝 祝 祝 祝 祝 祝 祝

礻 ＋ 兄

祝你生日快乐!　祝你新年快乐!

19. 乐   5   Ⓑ   lè   happy, cheerful   樂

     乐 乐 乐 乐 乐

    ◆ 快乐

---

20. 送   9   sòng   to give as a present

     送 送 送 送 送 送 送 送 送

     关 ＋ 辶

    ◆ 送(给)你一件礼物　送一件礼物给你

---

21. 件   6   jiàn

     件 件 件 件 件 件

     亻 ＋ 牛

    ◆ 一件衣服　一件礼物　一件事

---

22. 礼   5   Ⓑ   lǐ   gift, courtesy   禮

     礼 礼 礼 礼 礼

     礻 ＋ 乚

    ◆ 礼物　礼貌　lǐmào　courtesy

23.* 属　12　shǔ　to belong to;

to be *born in the year of* one of the twelve animals representing the twelve Earthly

Branches　屬

属 属 属 属 属 属 属 属 属 属 属 属

尸　＋　禹

他属牛,我属龙。

---

24. 玉　5　yù　jade

玉　玉　玉　玉　玉

一块玉

---

25. 咱　9　zán　we

咱 咱 咱 咱 咱 咱 咱 咱 咱

口　＋　自

咱们

---

26. 蛋　11　dàn　egg

蛋 蛋 蛋 蛋 蛋 蛋 蛋 蛋 蛋 蛋 蛋

疋　＋　虫

蛋糕　鸡蛋　jīdàn　chicken egg　鸟蛋

27.* 糕　16　gāo　cake

糕 糕 糕 糕 糕 糕 糕 糕 糕 糕 糕 糕 糕 糕 糕

米　＋　羔

蛋糕

28. 越　12　yuè

越 越 越 越 越 越 越 越 越 越 越 越

走　+　戉

越来越好　越跳越高兴

---

29. 轻　9　qīng　light　輕

轻 轻 轻 轻 轻 轻 轻 轻 轻

车　+　圣

年轻

他比较瘦，比较轻。

30.* 流　10　liú　to flow

流 流 流 流 流 流 流 流 流 流

氵　+　㐬

流利　流行　prevalent, popular, fashionable

这个歌现在很流行。

水不流了。

31.* 利　7　Ⓑ　lì

利 利 利 利 利 利 利

禾　+　刂

流利

32. 酒　10　jiǔ　alcoholic drink

酒 酒 酒 酒 酒 酒 酒 酒 酒 酒

氵 ＋ 酉

喝酒

白酒　liquor　啤酒　píjiǔ　beer

葡萄酒　pútaojiǔ　wine　白葡萄酒　红葡萄酒

33.* 答　12　Ⓑ　dá　to answer

答 答 答 答 答 答 答 答 答 答 答 答

⺮ ＋ 合

回答问题

写汉字

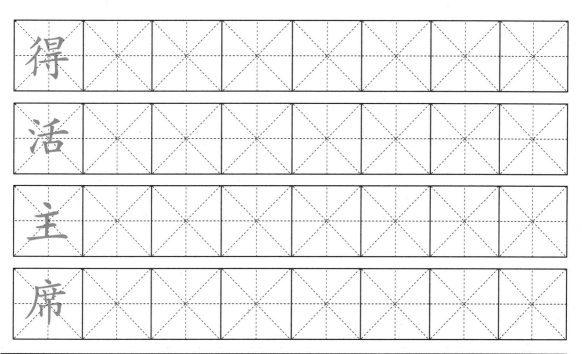

得

活

主

席

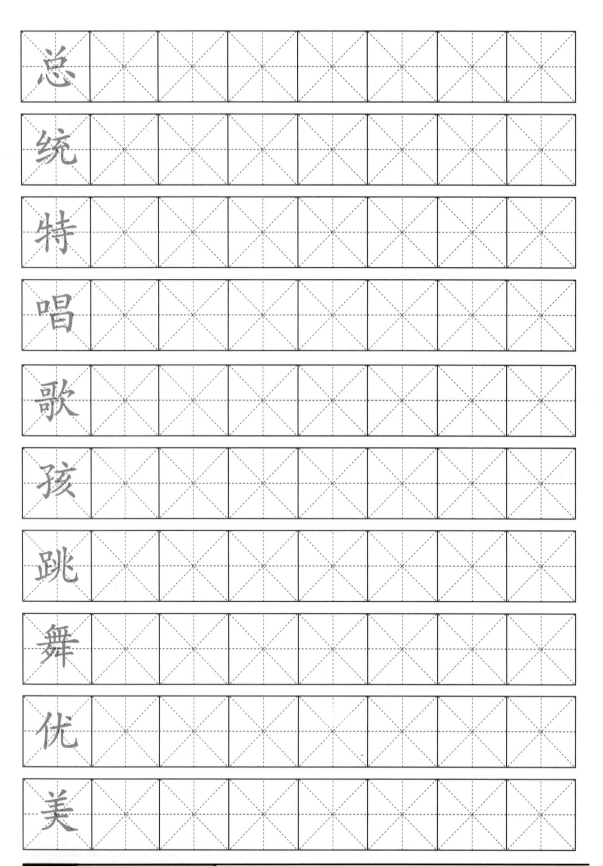

总

统

特

唱

歌

孩

跳

舞

优

美

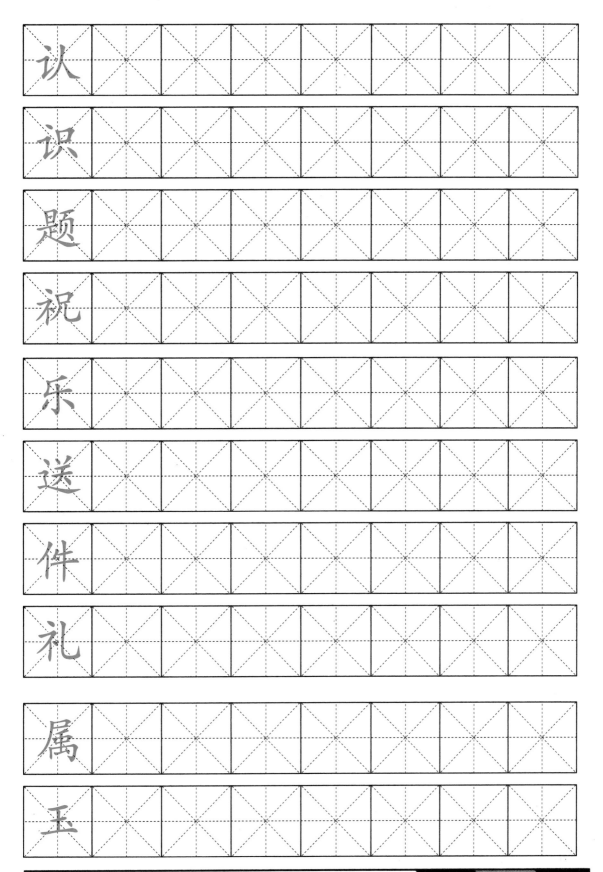

认

识

题

祝

乐

送

件

礼

属

玉

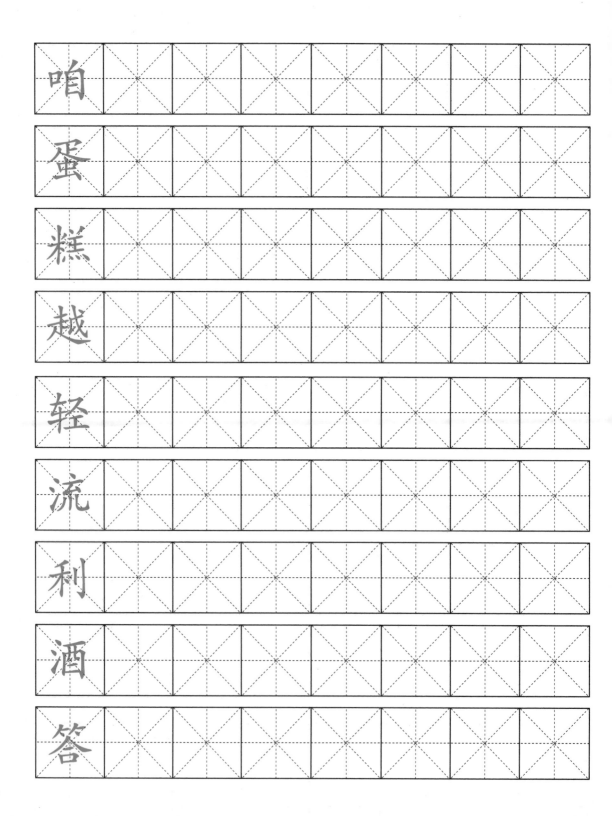

咱

蛋

糕

越

轻

流

利

酒

答

一、写出含有下列偏旁的汉字:

Write Chinese characters containing these radicals:

讠 yánzìpáng (the "word/speech" side)

亻 dānrénpáng (the "single person" side)

口 kǒuzìpáng (the "mouth" side)

足 zúzìpáng (the "foot" side)

氵 sāndiǎnshuǐ (the "water" side)

二、补上丢失的笔画:

Supply the missing strokes:

舞　趴　统　蛋　得

三、组词:

Form words or phrases:

话 (　　　　　)　　活 (　　　　　　)

经 (　　　　　)　　轻 (　　　　　　)

欢 (　　　　　)　　歌 (　　　　　　)

王 (　　　　　)　　玉 (　　　　　　)

该 (　　　　　)　　孩 (　　　　　　)

牛 (　　　　　)　　件 (　　　　　　)

西 (　　　　　)　　酒 (　　　　　　)

祝 （　　　　　　） 　　　视 （　　　　　　　　）

自 （　　　　　　） 　　　咱 （　　　　　　　　）

越 （　　　　　　） 　　　趣 （　　　　　　） 　　　起 （　　　　　　　　）

四、看拼音写汉字：

Write Chinese characters according to the *pinyin*:

1. Zhù nǐ shēngri kuàilè.

2. Tā yuèlái yuè niánqīng le.

3. Tā chàng gē chàng de hěn hǎo.

4. Wǒ hěn xǐhuan tā sòng-gěi wǒ de nà jiàn lǐwù.

五、猜一猜下面的句子是什么意思：

Guess the meanings of these sentences：

1. 想得越多，问题就越多。

2. 这个孩子以后会当总统的。

3. 他只有十四岁，不可以喝酒。

4. 那个正在跳舞的小女孩儿，你认识吗？

5. 他唱的都是现在很流行的歌，唱得很不错。年轻人很喜欢听他唱的歌。

Points about Chinese characters

There are basically four fonts for the block forms of modern Chinese characters, namely: the Song Typeface, the Imitation Song Typeface, the Regular Typeface, and the Boldface

当代中文 （宋体）　　　　(Song Typeface)

当代中文 （仿宋体）　　　(Imitation Song Typeface)

当代中文 （楷体）　　　　(Regular Typeface)

当代中文 （黑体）　　　　(Boldface)

第五课　我家乡的天气比这儿好

汉字

1. 热　10　rè　hot　熱

　　热 热 热 执 热 热 热 热 热 热

　　执 ＋ 灬

　　今天很热。　他是一个热心人。

2.* 预　10　Ⓑ　yù　預

　　预 预 预 预 预 预 预 预 预 预

　　子 ＋ 页

　　预报

3.* 报　7　Ⓑ　bào　to report　報

　　⟫ 报 报 报 报 报 报 报

　　⟫ 扌 ＋ 艮

　　◆ 预报　报告　report

4.　温　12　Ⓑ　wēn　temperature

　　⟫ 温 温 温 温 温 温 温 温 温 温 温 温

　　⟫ 氵 ＋ 昷

　　◆ 温度　气温　水温

　　　　气候温和　a mild climate

　　　　语气温和　a soft tone

5.　度　9　dù　degree

　　⟫ 度 度 度 度 度 度 度 度 度

　　⟫ 广 ＋ 廿 ＋ 又

　　◆ 温度　高度　height　30 度

6.　乡　3　Ⓑ　xiāng　countryside, village, native place　鄉

　　⟫ 乡 乡 乡

　　◆ 家乡　乡下　countryside

　　　　同乡　a person from the same village, town or province

7. 更   7   gèng   more

更 更 更 更 更 更 更

这个也不错,不过,那个更好。

---

8. 夏   10   Ⓑ   xià   summer

夏 夏 夏 夏 夏 夏 夏 夏 夏 夏

百 ＋ 夂

夏天   夏季

---

9. 凉   10   liáng   cool

凉 凉 凉 凉 凉 凉 凉 凉 凉

冫 ＋ 京

凉快   凉水

茶凉了吗?

---

10. 冬   5   Ⓑ   dōng   winter

冬 冬 冬 冬 冬

冬天   冬季

冬天来了,春天还会远吗?

---

11. 冷   7   lěng   cold

冷 冷 冷 冷 冷 冷 冷

今天有点儿冷。   你喝热水还是冷水?

12. 低　7　dī　low

低 低 低 低 低 低 低

亻　＋　氐

今天的温度比较低。

13. 暖　13　Ⓑ　nuǎn　warm

暖 暖 暖 暖 暖 暖 暖 暖 暖 暖 暖 暖 暖

日　＋　爰

暖气　暖和　温暖

＊　　　　＊　　　　＊

14. 差　9　chà　to fall short of;　bad,　different

差 差 差 差 差 差 差 差 差

羊　＋　工

差不多

现在是十点差五分。

他的汉语比我差多了。

15.* 滑　12　huá　to slip; slippery

滑 滑 滑 滑 滑 滑 滑 滑 滑 滑 滑 滑

氵　＋　骨

滑冰　滑雪

路上有冰,很滑。

他滑了一下。

16. 雪　11　xuě　snow

　　雪 雪 雪 雪 雪 雪 雪 雪 雪 雪 雪

　　雨 ＋ 彐

　　下雪　昨天下了一场 chǎng 大雪。
　　昨天晚上的雪真大！

---

17. 游　12　yóu　to swim

　　游 游 游 游 游 游 游 游 游 游 游

　　氵 ＋ 斿

　　游泳　旅游 tour
　　在水里游

---

18. 泳　8　Ⓑ　yǒng　to swim

　　泳 泳 泳 泳 泳 泳 泳 泳

　　氵 ＋ 永

　　游泳

---

19. 春　9　Ⓑ　chūn　spring

　　春 春 春 春 春 春 春 春 春

　　夫 ＋ 日

　　春天　春季

20. 短　12　duǎn　short

短 短 短 短 短 短 短 短 短 短 短 短

矢 ＋ 豆

时间很短　这条马路很短。

她的头发短短的。

21. 季　8　Ⓑ　jì　season

季 季 季 季 季 季 季 季

禾 ＋ 子

季节

22. 节　5　jié　section; festival

节 节 节 节 节

艹 ＋ 卩

季节　节日　中国人怎么过春节？

今天上午要上四节课。

23. 秋　9　Ⓑ　qiū　autumn

秋 秋 秋 秋 秋 秋 秋 秋 秋

禾 ＋ 火

秋天　秋季

24. 雨　8　yǔ　rain

雨 雨 雨 雨 雨 雨 雨 雨

下雨　大雨　小雨

昨天晚上下了一场 chǎng 大雨。

外面雨下得很大。

25.* 刮　8　guā　to blow

刮 刮 刮 刮 刮 刮 刮 刮

舌　+　刂

外面在刮大风。

---

26. 风　4　fēng　wind

风 风 风 风

明天有大风。　外面风很大。

---

27. 极　7　jí　very

极 极 极 极 极 极 极

好极了！

28.* 枫　8　Ⓑ　fēng

枫 枫 枫 枫 枫 枫 枫 枫

木　+　风

枫树　fēngshù　maple　枫叶　maple leaf

29. 叶　5　Ⓑ　yè　leaf

⧨ 叶　叶　叶　叶　叶

⧨ 口　＋　十

◈ 叶子 leaf　树叶

---

30. 丽　7　Ⓑ　lì　beautiful

⧨ 丽　丽　丽　丽　丽　丽　丽

◈ 美丽

---

31. 晴　12　qíng　sunny

⧨ 晴　晴　晴　晴　晴　晴　晴　晴　晴　晴　晴　晴

⧨ 日　＋　青

◈ 晴天　天晴了。

---

32. 云　4　yún　cloud

⧨ 云　云　云　云

◈ 明天多云。　天上的云很漂亮。

---

33. 冰　6　bīng　ice

⧨ 冰　冰　冰　冰　冰　冰

⧨ 冫　＋　水

◈ 滑冰

地上有冰。

要一杯冰水。

冬天的北方,冰天雪地。

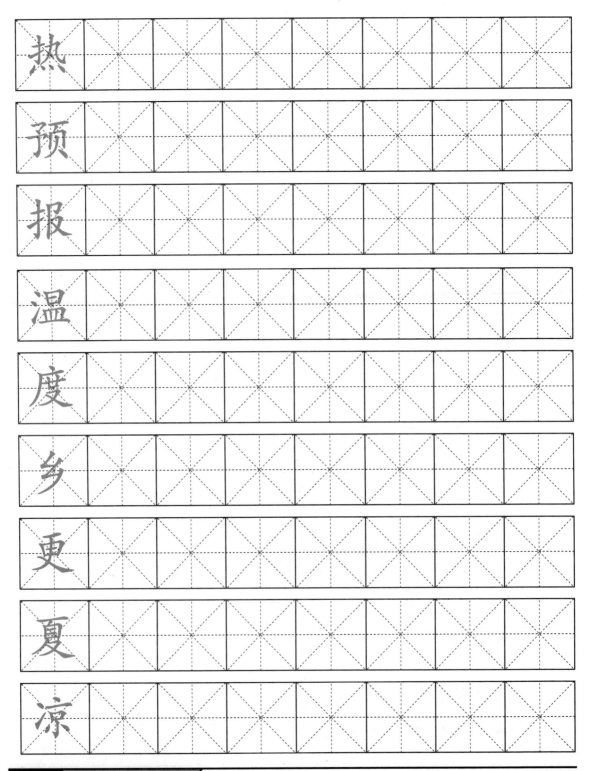

热

预

报

温

度

多

更

夏

凉

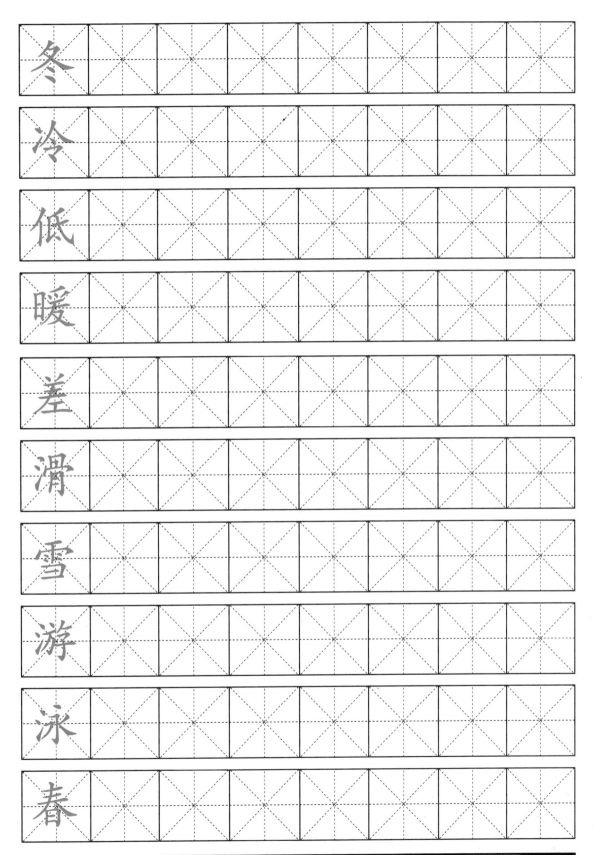

冬
冷
低
暖
差
滑
雪
游
泳
春

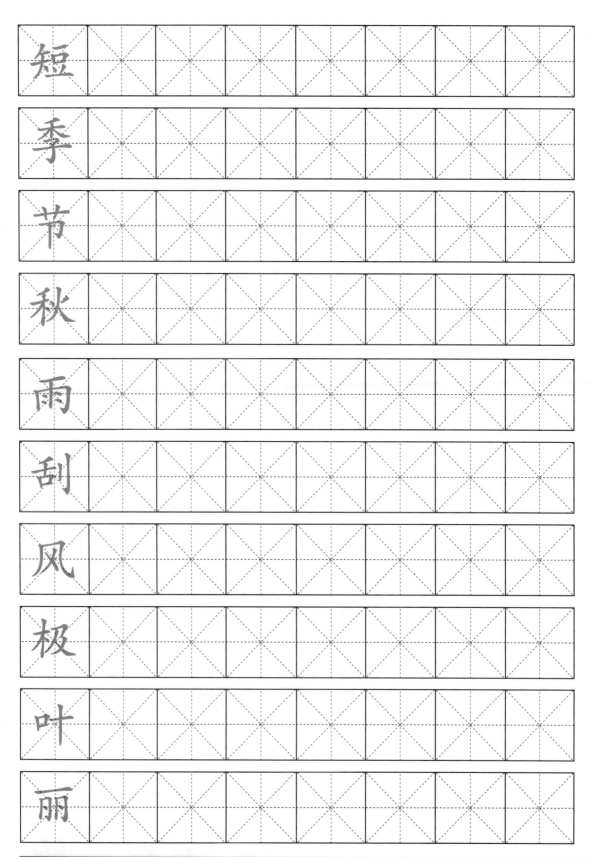

短

季

节

秋

雨

刮

风

极

叶

丽

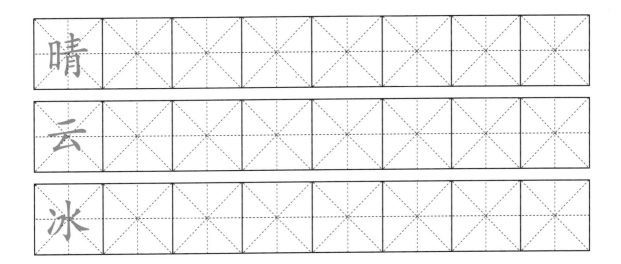

练习 liànxí **Exercises**

一、写出含有下列偏旁的汉字：

Write Chinese characters containing these radicals：

冫 liǎngdiǎnshuǐ   (the "ice" side)

氵 sāndiǎnshuǐ   (the "water" side)

灬 sìdiǎndǐ   (the "fire" bottom)

日 rìzìpáng   (the "sun" side)

二、写出用下列汉字作为部件的字：

Write Chinese characters with these components：

雨
京
水

更

火

三、组词：

Form words or phrases：

泳（　　　　　）　　冰（　　　　　）

爱（　　　　　）　　暖（　　　　　）

请（　　　　　）　　晴（　　　　　）

度（　　　　　）　　麻（　　　　　）

季（　　　　　）　　秋（　　　　　）

四、看拼音写汉字：

Write Chinese characters according to the *pinyin*：

1. Wǒ zuì xǐhuan qiūtiān.

2. Wǒ jiāxiāng de tiānqì bǐ zhèr hǎo.

3. Jīntiān yìdiǎnr yě bù lěng.

4. Míngtiān huì bu huì xià yǔ?

五、猜一猜下面的句子是什么意思：

Guess the meanings of these sentences：

1. 他的家乡一年四季都很暖和，他从来没见过雪。

2. 今天北京的最高温度是四十一度，是历史上气温最高的一天。

3. 在我们的地球上，空气一年比一年差了，气候一年比一年热了。

4. 那个地方冬天太冷，夏天太热，春天雨水太多，只有秋天还比较舒服。

5. 我喜欢夏天，因为可以去游泳；我也喜欢冬天，因为可以去滑雪；我也喜欢春天，因为春天是美丽的季节；我也喜欢秋天，因为我的生日在秋天。

Points about Chinese characters

The Selected Works of Mao Zedong, Volumes 1 - 4, is a 660, 273-word anthology, but it contains only 2981 different characters. The famous literary work, *Dream of the Red Chamber*, Chapters 1 - 80, is a 501,113-word novel, but it contains only 3264 different characters.

第六课　我老家在东北

汉字

1. 概 13 ⑧ gài

〢 概 概 概 概 概 概 概 概 概 概 概 概 概

〢 木 ＋ 既

◆ 大概

---

2. 北 5 běi ⑧ north

〢 北 北 北 北 北

◆ 北方　北部　北面　北边

　　东北　西北

---

3. 农 6 ⑧ nóng

〢 农 农 农 农 农 农

◆ 农村　农业 nóngyè agriculture　农民 nóngmín farmer

4. 村　7　cún　Ⓑ　village

　　村 村 村 村 村 村 村

　　木 ＋ 寸

　　◆ 农村　一个小村子
　　村里有一个老人。

5. 环　8　Ⓑ　huán

　　环 环 环 环 环 环 环 环

　　王 ＋ 不

　　◆ 环境

6. 境　14　Ⓑ　jìng

　　境 境 境 境 境 境 境 境 境 境 境 境 境 境

　　土 ＋ 竟

　　◆ 环境　边境　border, frontier

7. 交　6　jiāo　to cross, to hand in

　　交 交 交 交 交 交

　　◆ 交通　交钱　交朋友　make friends

8. 通　10　tōng　through

通 通 通 通 通 通 通 通 通 通

甬　+　辶

交通

这条马路不通。　电话不通。

这条河通往哪儿?

9. 闹　8　nào　Ⓑ　noisy

闹 闹 闹 闹 闹 闹 闹 闹

门　+　市

热闹　闹钟　alarm clock

10. 龙　5　lóng　dragon

龙 龙 龙 龙 龙

一条龙　你见过龙吗?

11. 吵　7　chǎo　to make noise, to quarrel; noisy

吵 吵 吵 吵 吵 吵 吵

口　+　少

别吵了!　外面太吵了!

12. 死　6　sǐ　to die; dead; extremely

死　死　死　死　死　死

他已经死了。　一条死鱼。　外面吵死了！

＊　　　　＊　　　　＊

13. 部　10　Ⓑ　bù　part, section

部　部　部　部　部　部　部　部　部　部

音　＋　阝

北部　东部　部分　part

外交部　the Ministry of Foreign Affairs

14. 层　7　céng　storey, floor

层　层　层　层　层　层　层

尸　＋　云

五层楼　他住在三层。

15. 楼　13　lóu　building, floor

楼　楼　楼　楼　楼　楼　楼　楼　楼　楼　楼　楼　楼

木　＋　娄

一个大楼　高楼　他住在三楼。

16. 室　9　Ⓑ　shì　room

室 室 室 室 室 室 室 室 室

宀　+　至

教室　办公室 office　地下室

---

17. 库　7　Ⓑ　kù

库 库 库 库 库 库 库

广　+　车

车库　水库 reservoir

---

18. 树　9　shù　tree

树 树 树 树 树 树 树 树 树

木　+　对

一棵 kē 树　树叶

---

19. 开　4　kāi　to open, to turn on, to set up, to drive

开 开 开 开

开门　开电视　开汽车　开公司
花开了。　火车开了。

---

20. 需　14　Ⓑ　xū　to need

需 需 需 需 需 需 需 需 需 需 需 需 需 需

需 + 而

需要
从我家到学校需要半个小时。

21. 离　10　lí　away, from

离 离 离 离 离 离 离 离 离 离

卤 ＋ 内

◆ 我家离海边不远。　现在离下课还有五分钟。

22. 海　10　hǎi　sea

海 海 海 海 海 海 海 海 海

氵 ＋ 每

◆ 大海　在海边

23. 散　12　Ⓑ　sàn

散 散 散 散 散 散 散 散 散 散 散 散

昔 ＋ 攵

◆ 散步

24. 步　7　bù　step

步 步 步 步 步 步 步

◆ 散步　走一步

你进步 making progress 很快。

你的汉语有了很大的进步 progress。

25. 南　9　Ⓑ　nán　south

南 南 南 南 南 南 南 南 南

南方　南部　南边　南面

东南　西南

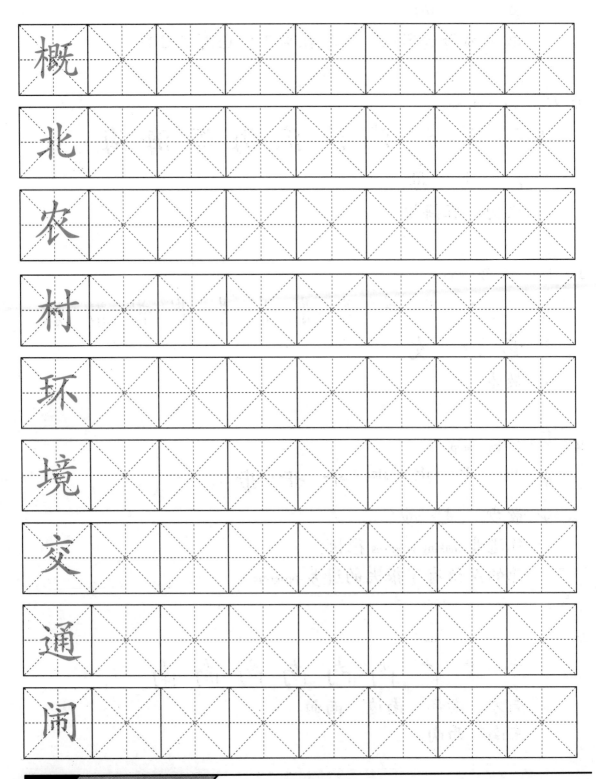

概
北
农
村
环
境
交
通
闹

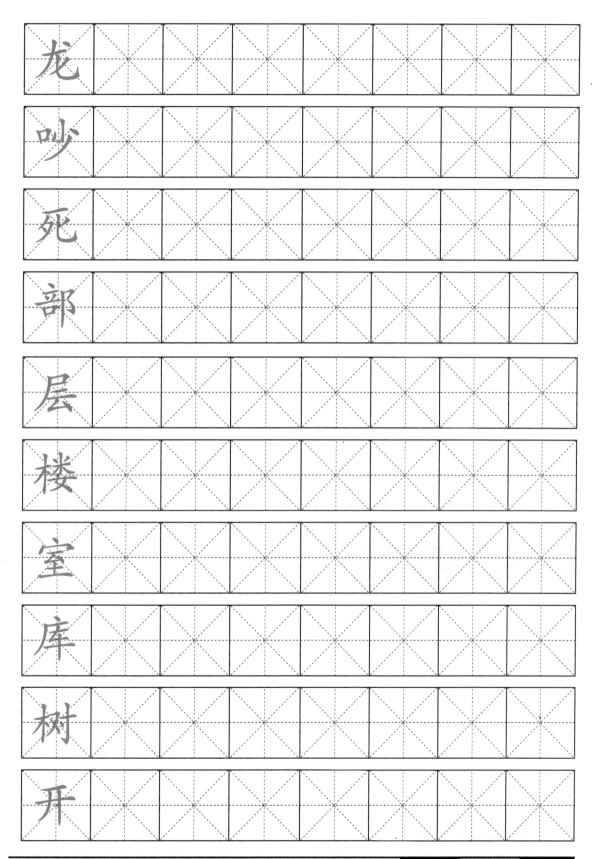

龙
吵
死
部
层
楼
室
库
树
开

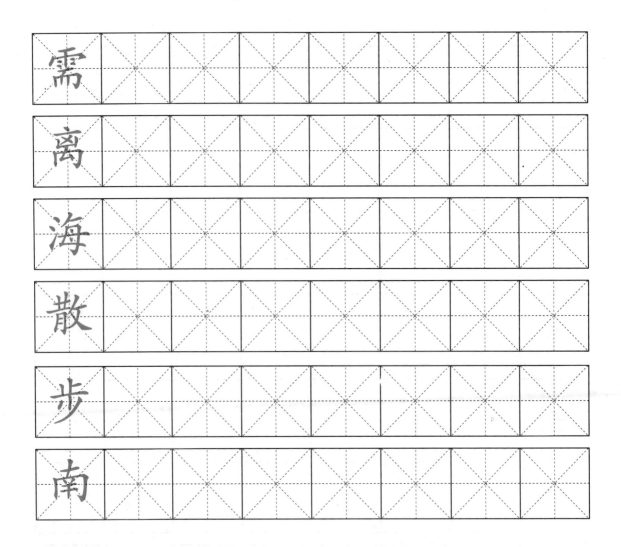

一、给下面的多音字注音:

Transcribe the polyphonic characters below into *pinyin*:

(1) 这儿交通很方便。

这儿的东西真便宜!

(2) 你什么时候有空?

农村空气新鲜,环境优美。

(3) 他走得很快。

从这儿去市中心你得坐地铁。

（4）你还想买点儿什么？

这本书我下个星期还你，可以吗？

（5）房间里很干净。

星期天你打算干什么？

（6）衬衫和裤子我都要买。

春天很暖和。

二、写出以下面的汉字为部件的字：

Write Chinese characters with these components：

交

市

少

母

至

车

云

三、组词：

Form words or phrases：

衣（　　　　）　　　　农（　　　　　）

南（　　　　）　　　　商（　　　　　）

道（　　　　）　　　　通（　　　　　）

村（　　　　）　　　　树（　　　　　）

四、看拼音写汉字：

Write Chinese characters according to the *pinyin*：

1. Wǒ jiā běibiān shì shān, nánbian shì hé.

2. Yuànzi li yǒu hěn duō shù hé huār.

3. Chī-wán wǎnfàn, wǒ chángcháng qù hǎibiān sànbù.

4. Nàr yìdiǎnr yě bù hǎo, chǎosǐ le!

五、猜一猜下面的句子是什么意思：
Guess the meanings of these sentences：

1. 外面太吵了，我不能休息。

2. 我家附近是大海，海边有很多树，树上有很多鸟儿。

3. 我需要一个好一点儿的工作环境，现在的工作环境太差了！

4. 他住楼上，我住楼下。我天天上楼去看他，他天天下楼来看我。

5. 这个城市环境越来越美丽了，商店越来越多了，交通越来越方便了。

6. 昨天晚上我家来了十几个客人，我们一起唱歌、跳舞，热闹极了。

Points about Chinese characters

In the transliteration of foreign words into Chinese characters, different characters may suggest different associations in meaning or engender very different images. Transliteration is quite an art. Benz, the famous German car company, is commonly transliterated in China as 奔驰,(bēnchí galloping; fleet). Currently, some people transliterate e-mail as 伊妹儿 (yīmèir young sister). What do you think of this transliteration?

第七课　我学过半年汉语

汉字

1. 介　4　Ⓑ　jiè

　介　介　介　介

　我来介绍一下,这位是我的朋友小王。

---

2. 绍　8　Ⓑ　shào

　绍　绍　绍　绍　绍　绍　绍　绍

　纟　+　召

　我来自我介绍一下,我姓王,叫王英。

---

3. 专　4　Ⓑ　zhuān

　专　专　专　专

　专业　专家　expert

　他看书看得非常专心　to be absorbed

4. 业　5　Ⓑ　yè

　　业 业 业 业 业

　　◆ 专业　工业　industry　农业　agriculture　作业　homework

---

5. 级　6　jí　grade, rank, level

　　级 级 级 级 级 级

　　乡　+　及

　　◆ 一年级　grade one　　高级　senior, high ranking

　　　　中级　middle rank, intermediate

　　　　初级　chūjí　elementary, primary

　　　　一级茶　grade A tea, first-class tea

6.* 普　12　Ⓑ　pǔ

　　普 普 普 普 普 普 普 普 普 普 普

　　並　+　日

　　◆ 普通　ordinary　普遍　common

　　我是一普普通通的人，住在一个普普通通的地方。

7.* 标　9　Ⓑ　biāo

　　标 标 标 标 标 标 标 标 标

　　木　+　示

　　◆ 标准

8.* 准 10 zhǔn standards, criteria; exact

准 准 准 准 准 准 准 准 准 准

◆ 标准 准时 on time

我的手表(shǒubiǎo, watch)有时候快, 有时候慢, 不太准。

9.* 阅 10 Ⓑ yuè to read

阅 阅 阅 阅 阅 阅 阅 阅 阅 阅

✕ 门 + 兑

◆ 阅读

10. 读 10 dú to read

读 读 读 读 读 读 读 读 读 读

✕ 讠 + 卖

◆ 阅读 读书

11. 力 2 Ⓑ lì strength, ability

力 力

◆ 听力 他很有能力 nénglì ability

他的话很有力 (yǒulì, strong, powerful)。

12. 练 8 liàn to practice

练 练 练 练 练 练 练 练

✕ 纟 + 东

◆ 练习 这个语法你再练练。

13. 清 11 qīng clear

清 清 清 清 清 清 清 清 清 清 清

氵 + 青

清楚 冷清 desolate 河里的水很清。

14. 楚 13 Ⓑ chu

楚 楚 楚 楚 楚 楚 楚 楚 楚 楚 楚 楚 楚

林 + 疋

清楚

* * *

15. 钟 9 zhōng clock 鐘

钟 钟 钟 钟 钟 钟 钟 钟 钟

钅 + 中

我没有钟、没有表 biǎo watch，不知道时间。
现在几点钟？ 从我家到公司需要三刻钟。

16. 句 5 jù sentence

句 句 句 句 句

一个句子 一句话

17. 遍　12　biàn

遍 遍 遍 沪 沪 扁 扁 扁 遍 遍 遍

扁 ＋ 辶

普遍

一遍　两遍　三遍

请再说一遍。

18. 难　10　nán　difficult

难 难 难 难 难 难 难 难 难

又 ＋ 隹

汉语不太难。

19. 容　10　Ⓑ　róng

容 容 容 容 容 容 容 容 容 容

容易

20. 易　8　Ⓑ　yì　easy

易 易 易 易 易 易 易 易

日 ＋ 勿

容易

21. 始　8　Ⓑ　shǐ　to begin

　始　始　始　始　始　始　始　始

　女　＋　台

　开始

22.* 慢　14　màn　slow

　慢　慢　慢　慢　慢　慢　慢　慢　慢　慢　慢　慢　慢　慢

　忄　＋　曼

　汽车开得很慢。他的进步慢，我的进步快。

---

23. 忘　7　wàng　to forget

　忘　忘　忘　忘　忘　忘　忘

　亡　＋　心

　对不起，我忘了你的名字。

---

24. 种　9　zhǒng　kind, sort

　种　种　种　种　种　种　种　种　种

　禾　＋　中

　我不喜欢这种人。　这种鱼我以前在我家乡见过。

---

25. 食　9　Ⓑ　shí　food; to eat

　食　食　食　食　食　食　食　食　食

　人　＋　良

　食品　食堂　shítáng　canteen, dining hall

26. 品　9　Ⓑ　pǐn　article, product

品　品　品　品　品　品　品　品　品

食品　工业品　industrial products

---

27. 努　7　Ⓑ　nǔ

努　努　努　努　努　努　努

奴　＋　力

努力工作　努力学习

28.* 糊　15　Ⓑ　hú

糊　糊　糊　糊　糊　糊　糊　糊　糊　糊　糊　糊

米　＋　胡

糊涂

29.* 涂　10　Ⓑ　tu

涂　涂　涂　涂　涂　涂　涂　涂　涂　涂

氵　＋　余

糊涂

---

30. 刻　8　kè

刻　刻　刻　刻　刻　刻　刻　刻

亥　＋　刂

一刻钟　三刻钟

31. 互   4   Ⓑ   hù   each other

    㐅 互 互 互 互

    ◆ 互相

---

32. 相   9   Ⓑ   xiāng   each other

    㐅 相 相 相 相 相 相 相 相 相

    ▷◁ 木 ＋ 目

    ◆ 互相

     他们相爱 fall in love 了。

---

33. 谈   10   tán   to talk

    㐅 谈 谈 谈 谈 谈 谈 谈 谈 谈 谈

    ▷◁ 讠 ＋ 炎

    ◆ 你们在谈什么？

     昨天晚上我跟她谈了一个小时的话。

---

34. 考   6   kǎo   to test

    㐅 考 考 考 考 考 考

    ✕ 耂 ＋ 丂

    ◆ 考试   我要考考你们。

     明天考什么？ 考听力还是考口语？

35. 试　8　shì　to test, to try

试 试 试 试 试 试 试 试

讠 ＋ 式

考试　我能不能试一试?

写 汉 字

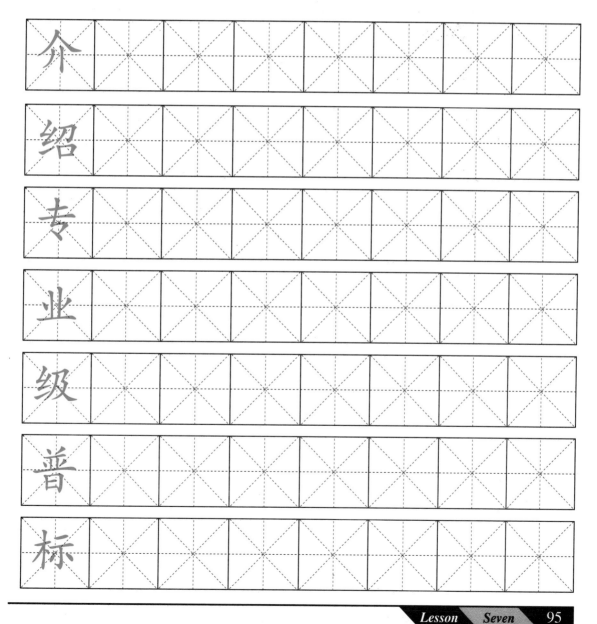

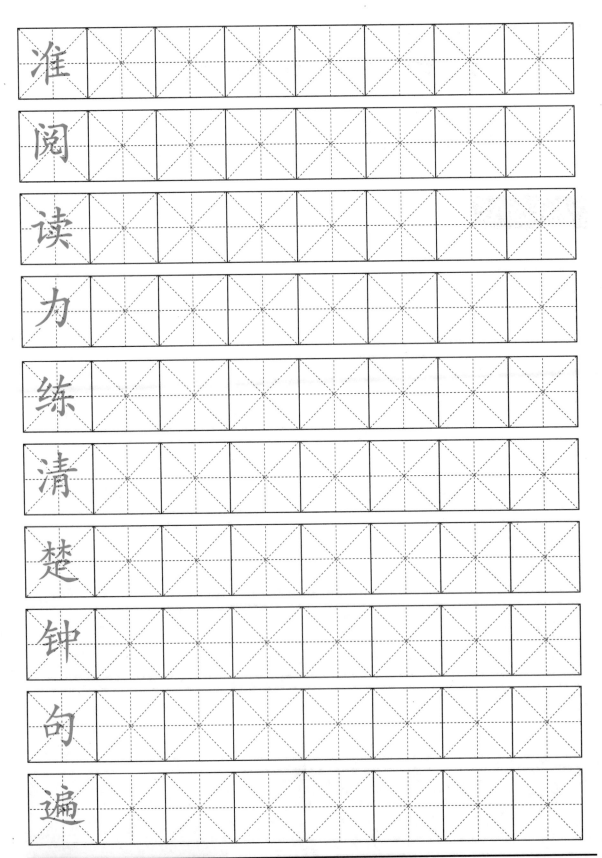

准

阅

读

力

练

清

楚

钟

句

遍

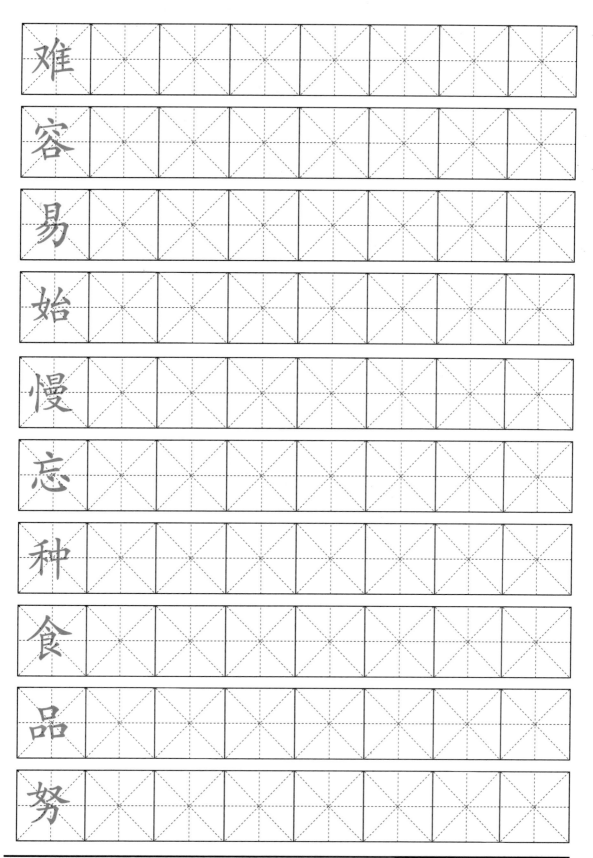

难

容

易

始

慢

忘

种

食

品

努

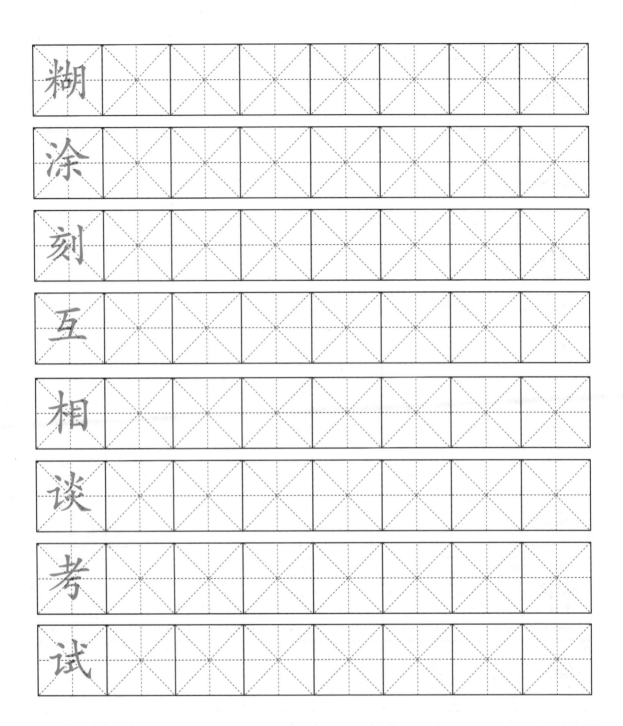

糊

涂

刻

互

相

谈

考

试

练习 Liànxí **Exercises**

一、根据上下文写出同音字：

Fill in the blanks according to the context, using homophonic characters：

我家乡的春天,美丽_____ (jí) 了。

我上大学三年_____ (jí)。

请问,您贵_____ (xìng)?

今天他有点儿不高_____ (xìng)。

你打算什么_____ (shí) 候去?

我买了一些_____ (shí) 品。

请你_____ (zài) 说一遍。

你们别吵,他_____ (zài) 睡觉。

汉语不_____ (nán) 学。

_____ (nán) 同学都去打球了。

我家_____ (nán) 边是一个学校。

从这儿去_____ (shì) 中心怎么走?

你看电_____ (shì) 看得太多了。

明天有口语考_____ (shì)。

你们在哪个教_____ (shì) 上课?

二、写出以下列汉字为部件的字：

Write characters with these components：

卖

力

青

亥

中

火

相

三、组词：

Form words or phrases：

刻（   ）   孩（   ）

容（   ）   客（   ）

难（   ）   准（   ）

考（   ）   老（   ）

钟（   ）   种（   ）

请（   ）   清（   ）   晴（   ）

四、看拼音写汉字：

Write Chinese characters according to the *pinyin*：

1. Wǒ shì Hànyǔ zhuānyè sān niánjí xuésheng.

2. Wǒ tīng de bú tài qīngchu.

3. Jīntiān de kèwén nán bu nán?

4. Wǒmen hùxiāng bāngzhù, hùxiāng xuéxí.

五、猜一猜下面的句子是什么意思：

Guess the meanings of these sentences：

1. 他说得非常清楚，我听得十分明白。

2. 今天早上我走的时候忘了关门，真糊涂！

3. 这是一个热门专业，读这个专业的人特别多。

4. 在介绍他自己的时候，他说他是一个普普通通的人。

5. 老师说，这次听力考试很容易，人人都能通过。

Points about Chinese characters

When introducing oneself to another party, one will often specify the characters of one's name by explaining how to write them. There are basically two ways to do this. One way is to identify the components or the strokes of the surname; for example："双木林 shuāngmùlín"（"Lin 林" of double "mu 木"）, "木子李 mùzǐlǐ"（"Li 李" of "mu 木" and "zi 子"）, "口天吴 kǒutiānwú"（"Wu 吴" of "kou 口" and "tian 天"）, "耳东陈 ěrdōngchén"（"Chen 陈" of "er 耳" and "dong 东"）, and "三横一竖的王 sān héng yí shù de wáng"（"Wang 王"of three horizontal strokes and one vertical stroke）. The other way is to refer to a common term or phrase which contains the character (s) in your name; for example: "树叶的叶"（"ye 叶" of "shuye 树叶"）, "黄金的金"（"jin 金" of "huangjin 黄金"）.

Another example: 我叫陈静，耳东陈，安静的静。

第八课　火车票卖完了

汉字

1.* 推　11　tuī　to push

推 推 推 推 推 推 推 推 推 推 推

扌 ＋ 隹

他推开门进去了。　他推着自行车走。

活动推迟了。

2.* 迟　7　chí　late

迟 迟 迟 迟 迟 迟 迟

尺 ＋ 辶

你来得太迟了。

他跟女朋友约会从来不迟到，可是上课常常迟到。

3. 安　6　Ⓑ　ān

安 安 安 安 安 安

宀　+　女

在这儿生活很安全 ānquán　safe

这个星期天有什么安排？

---

4. 排　11　Ⓑ　pái

排 排 排 排 排 排 排 排 排 排

扌　+　非

安排　排队 to queue up (to form a line)

---

5. 金　8　Ⓑ　jīn　gold, metal

金 金 金 金 金 金 金 金

金融　黄金 gold　金子 gold

6.* 融　16　Ⓑ　róng

融 融 融 融 融 融 融 融 融 融 融 融 融 融 融 融

鬲　+　虫

金融

---

7. 贸　9　Ⓑ　mào　(to) trade　贸

贸 贸 贸 贸 贸 贸 贸 贸 贸

卯　+　贝

贸易　外贸

8. 场　6　cháng, chǎng　field　場

場 场 场 场 场 场 场

土 ＋ 㐅

市场 chǎng

下了一场 cháng 大雨　看了一场 cháng 电影

---

9. 领　11　lǐng　to lead　領

领 领 领 领 领 领 领 领 领 领

令 ＋ 页

领导

他领我们参观了他的公司。

---

10. 导　6　Ⓑ　dǎo　to guide

导 导 导 导 导 导

巳 ＋ 寸

领导　导游 tourist guide

---

11. 理　11　lǐ　reason; to pay attention to

理 理 理 理 理 理 理 理 理 理

王 ＋ 里

经理　有道理 reasonable

这些人不是好人,别理他们。 Don't pay attention to them.

12. 加　5　jiā　to add

   加　加　加　加　加

   ◆ 参加　二加二等于 děngyú equal to 四

---

13. 传　6　chuán　to pass on, to hand down, to spread　　傳

   传　传　传　传　传　传

   亻　＋　专

   ◆ 传真　传说 legend

   我传给他一个球。

---

14. 航　10　Ⓑ　háng　to navigate (by water or air)

   航　航　航　航　航　航　航　航　航　航

   舟　＋　亢

   ◆ 航班　航空公司　在海上航行了一个月

---

15. 班　10　bān　class

   班　班　班　班　班　班　班　班　班　班

   王　＋　丿　＋　王

   ◆ 航班　班级　我们班　两个班

   班里有二十个学生。

16. 谢　12　xiè　to thank　谢

⚞ 谢 谢 谢 谢 谢 谢 谢 谢 谢 谢 谢 谢

⚞ 讠 + 身 + 寸

◆ 谢谢! 非常感谢!

你不要谢我,应该谢他。

＊　　　＊　　　＊　　　＊

17.* 警　19　Ⓑ　jǐng　to alert, to warn; police

⚞ 警 警 警 警 警 警 警 警 警 警 警 警 警 警 警 警 警 警 警

✕ 敬　+　言

◆ 警察　警车 police car　警告 warn

18.* 察　14　Ⓑ　chá　to examine

⚞ 察 察 察 察 察 察 察 察 察 察 察 察 察 察

⚞ 宀　+　祭

◆ 警察

19. 撞　15　zhuàng　to bump against, to run into, to collide

⚞ 撞 撞 撞 撞 撞 撞 撞 撞 撞 撞 撞 撞 撞 撞 撞

⚞ 扌　+　童

◆ 他撞倒了一个行人。　两辆汽车相撞了。

20. 着　11　zhe

着 着 着 着 着 着 着 着 着 着 着

羊　+　目

门开着,可是里面没人。

他手里拿着一本书。

21. 手　4　shǒu　hand

手 手 手 手

左手　右手　他手里拿着一本书。

22. 伞　6　sǎn　umbrella

伞 伞 伞 伞 伞 伞

一把 bǎ 雨伞

23. 结　9　Ⓑ jié　結

结 结 结 结 结 结 结 结 结

纟　+　吉

你这样做不会有好结果的。

考试的结果出来了吗?

24. 果　8　Ⓑ guǒ　fruit

果 果 果 果 果 果 果 果

结果　水果

25. 摔　14　shuāi　to fall down

摔 摔 摔 摔 摔 摔 摔 摔 摔 摔 摔 摔 摔 摔

扌　+　率

◆ 摔倒

---

26. 倒　10　dǎo　to fall down

倒 倒 倒 倒 倒 倒 倒 倒 倒 倒

亻　+　到

◆ 撞倒　路上太滑,他不小心摔倒了。

---

27. 坏　7　huài　bad　壊

坏 坏 坏 坏 坏 坏 坏

土　+　不

◆ 好事不出门,坏事传千里。
我的雨伞坏了,不能用了。

---

28. 破　10　pò　broken

破 破 破 破 破 破 破 破 破 破

石　+　皮

◆ 衣服破了。　他穿着一件破衣服。
他打破了一个杯子。

29. 伤　6　shāng　to hurt　傷

〉 伤 伤 伤 伤 伤 伤

〉 亻 ＋ 勹

◆ 他受伤了。　别伤害她。

女朋友跟他分手 say goodbye 了，他很伤心。sad

---

30. 背　9　bèi　back (N.)　bēi　to carry on the back (V.)

〉 背 背 背 背 背 背 背 背 背

✕ 北 ＋ 月

◆ 背上 bèi shang　背 bēi 了一个背包 bèibāo knapsack。

31.* 检　11　Ⓑ　jiǎn　to check up, to inspect　檢

〉 检 检 检 检 检 检 检 检 检 检 检

〉 木 ＋ 佥

◆ 检查身体

32.* 查　9　chá　to check, to examine

〉 查 查 查 查 查 查 查 查 查

✕ 木 ＋ 旦

◆ 检查　你常常查词典吗？

33. 身　7　Ⓑ　shēn　body

身 身 身 身 身 身 身

◆ 身体

---

34. 体　7　Ⓑ　tǐ　body　體

体 体 体 体 体 体 体

亻 ＋ 本

◆ 我今天身体有点儿不舒服。　他身体很好。

---

35. 修　9　xiū　to repair

修 修 修 修 修 修 修 修

亻 ＋ 多

◆ 修马路　修电视机　修理 repair 电视机
我的自行车坏了，请你修一下。

36.* 故　9　Ⓑ　gù　incident, happening; old

故 故 故 故 故 故 故 故 故

古 ＋ 攵

◆ 事故 accident　故事 story

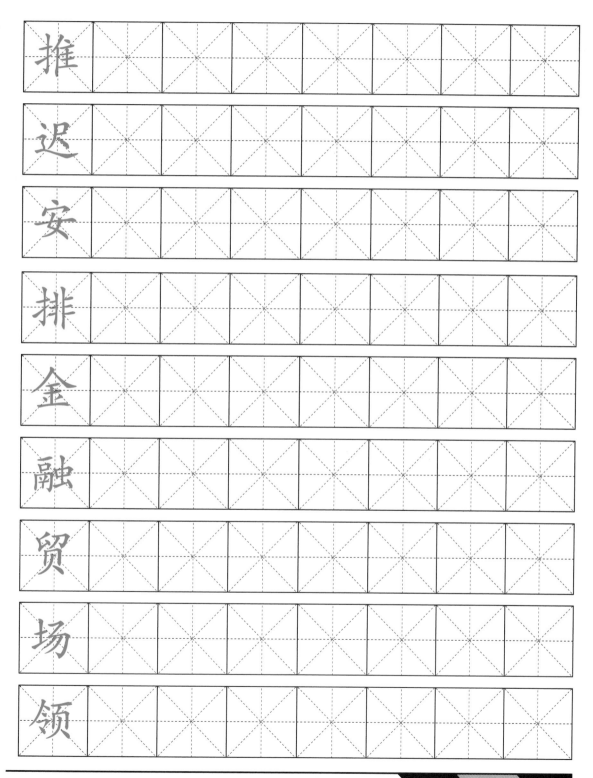

推

迟

安

排

金

融

贸

场

领

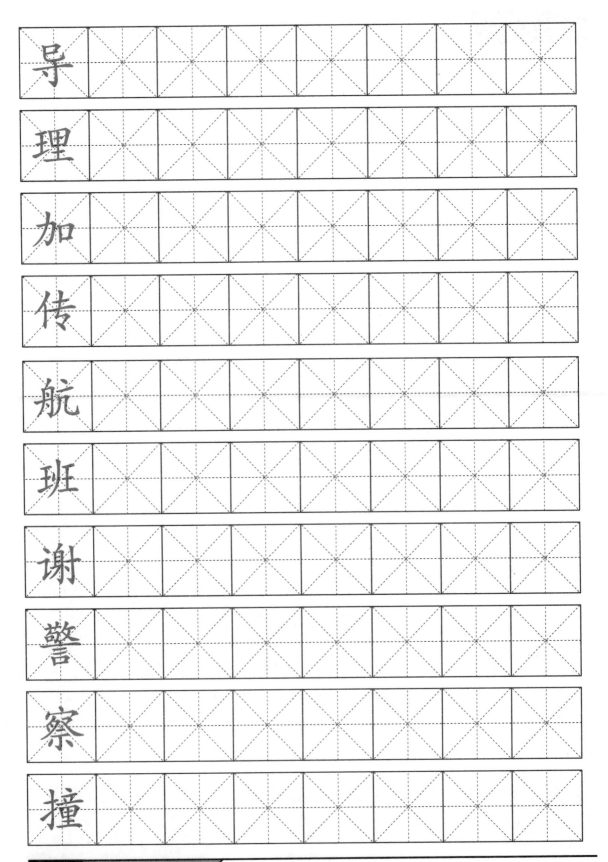

导

理

加

传

航

班

谢

警

察

撞

着

手

伞

结

果

摔

倒

坏

破

伤

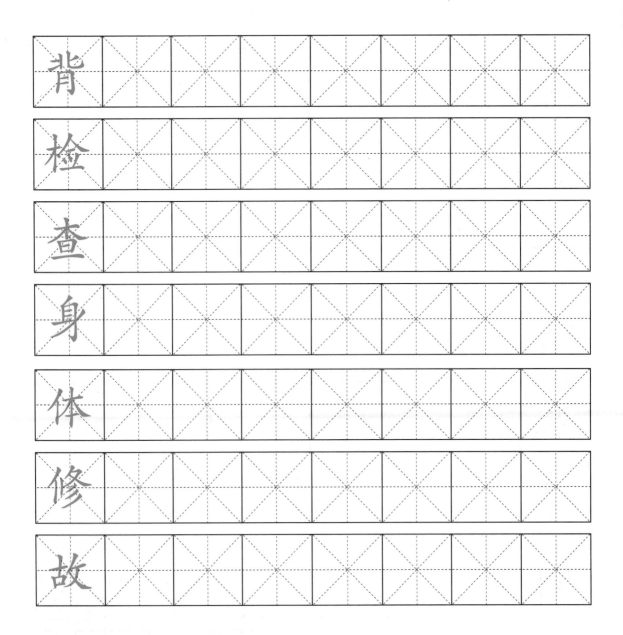

练习 Liànxí **Exercises**

一、写出含有下列偏旁的汉字：

Write Chinese characters containing these radicals：

扌 tíshǒupáng   (the "hand" side)

亻 dānrénpáng   (the "single-person" side)

王 wángzìpáng　　　(the "jade" side)

土 títǔpáng　　　(the "earth/soil" side)

二、补上丢失的笔画：

Supply the missing strokes：

修　捽　航　仐　撞

三、组词：

Form words or phrases：

休（　　　　　）　　体（　　　　　　）
绍（　　　　　）　　结（　　　　　　）
非（　　　　　）　　排（　　　　　　）
到（　　　　　）　　倒（　　　　　　）
专（　　　　　）　　传（　　　　　　）
着（　　　　　）　　看（　　　　　　）
杯（　　　　　）　　坏（　　　　　　）　　环（　　　　　）

四、看拼音写汉字：

Write Chinese characters according to the *pinyin*：

1. Nǐ fùmǔqīn de shēntǐ zěnmeyàng?

2. Wǒ de yǔsǎn huài le, děi xiū yíxia.

3. Shénme shíhou néng zhīdao kǎoshì de jiéguǒ?

4. Lǐngdǎo ānpái wǒ zuò zhè ge gōngzuò.

五、猜一猜下面的句子是什么意思:

Guess the meanings of these sentences:

1. 你今天晚上有什么安排？

2. 前面发生了交通事故,警察马上就来。

3. 他身体不舒服,今天在家里休息,不能来上课了。

4. 刚才经理说的话一点儿没有道理,所以我们都没理他。

5. 路上太滑,他骑自行车摔倒了,摔伤了手,摔破了衣服,摔坏了自行车。

Points about Chinese characters

Chinese characters have a definite influence on modern written Chinese. For example, some polysyllabic words in spoken Chinese are frequently not written out in their entirety. For instance, 但是 is often written as 但; 如果 as 如; 明天晚上 as 明晚; and 的时候 as 时. Sometimes, disyllabic words in spoken Chinese are written as one word; for example, 海里 is written as 浬. Words with the retroflex ending in spoken Chinese are often written without the retroflex ending 儿. Some characters, which in spoken Chinese are exclusively found together with other characters to form words, can also be used by themselves in the written language. Such characters are sometimes difficult to understand when a text is read aloud.

第九课　现在就可以搬进去

汉字

1. 租　10　zū　to rent, to rent out

租 租 租 租 租 租 租 租 租 租

禾 ＋ 且

出租房子　租一个公寓

租金　房租

2. 如　6　Ⓑ　rú　if, for example

如 如 如 如 如 如

女 ＋ 口

如果　例如 lìrú　for example

3. 搬　13　bān　to move

搬 搬 搬 搬 搬 搬 搬 搬 搬 搬 搬 搬

扌 ＋ 般

搬家

你们搬到哪儿去？

请搬一张桌子进来。

4. 梯　11　Ⓑ　tī

梯 梯 梯 梯 梯 梯 梯 梯 梯 梯 梯

木 ＋ 弟

电梯　楼梯 stairs　梯子 ladder

5. 累　11　lèi　tired

累 累 累 累 累 累 累 累 累 累 累

田 ＋ 糸

工作了一天，真累！

6. 锻　14　Ⓑ　duàn　鍛

锻 锻 锻 锻 锻 锻 锻 锻 锻 锻 锻 锻 锻

钅 ＋ 段

锻炼

7. 炼　9　Ⓑ　liàn

炼　炼　炼　炼　炼　炼　炼　炼　炼

火　+　东

锻炼身体

8. 套　10　tào

套　套　套　套　套　套　套　套　套　套

大　+　镸

一套书

9. 视　8　Ⓑ　shì　to look　视

视　视　视　视　视　视　视　视

衤　+　见

电视　视力 eyesight　近视 nearsighted

10. 箱　15　Ⓑ　xiāng　box, case

箱　箱　箱　箱　箱　箱　箱　箱　箱　箱　箱　箱　箱　箱　箱

⺮　+　相

冰箱　箱子　旅行箱

11. 洗　9　xǐ　to wash

洗　洗　洗　洗　洗　洗　洗　洗　洗

氵　+　先

洗衣服　洗衣机

12. 调　10　Ⓑ　tiáo　**调**

ᐳᐸ 调　调　调　调　调　调　调　调　调　调

ᐳᐸ 讠　+　周

◆ 空调

---

13. 付　5　fù　to pay

ᐳᐸ 付　付　付　付　付

ᐳᐸ 亻　+　寸

◆ 付钱

---

14. 押　8　Ⓑ　yā

ᐳᐸ 押　押　押　押　押　押　押　押

ᐳᐸ 扌　+　甲

◆ 押金

---

15. 合　6　hé　close, together; suit

ᐳᐸ 合　合　合　合　合　合

◆ 合同　合唱 chorus　合法 legal　合作 to cooperate

他跟我很合得来 get along well，她跟我合不来。

请大家合上课本。

这件衣服很合身 fit。

16. 带　9　dài　to carry

帯 带 带 带 带 带 带 带 带 带

卅 ＋ 巾

◆ 带来 to bring　带去 to take　词典带了没有?

---

17. 像　13　xiàng　alike; to be like sth./sb.

像 像 像 像 像 像 像 像 像 像 像 像 像

亻 ＋ 象

◆ 姐姐和妹妹很像 be alike。　他像 be like 他妈妈。

这个人我好像 it seems 见过，可是忘了他的名字了。

真不像话!

---

18. 拆　8　chāi　to tear open, to take apart, to pull down

拆 拆 拆 拆 拆 拆 拆 拆

扌 ＋ 斥

◆ 你怎么可以拆我的信?　他们正在拆房子。

---

19. 傅　12　⑧　fu

傅 傅 傅 傅 傅 傅 傅 傅 傅 傅 傅 傅

亻 ＋ 尃

◆ 师傅

20. 台　5　tái

川 台　台　台　台　台

◆ 一台电脑

---

21. 旧　5　jiù　old

川 旧　旧　旧　旧　旧

◆ 旧房子　旧书

旧瓶装新酒。new wine in an old bottle; new concepts in an old framework.

---

22. 法　8　Ⓑ　fǎ　method, way, law

川 法　法　法　法　法　法　法　法

◆ 办法 way, means　方法 method　法律 law

法国 France (transliteration)　法语

---

23. 装　12　zhuāng

川 装　装　装　装　装　装　装　装　装　装　装　装

义 壯 ＋ 衣

◆ 服装 clothing　包装 to pack; packaging

装上 load on 车　装在墙上

---

24. 器　16　Ⓑ　qì　machine

川 器　器　器　器　器　器　器　器　器　器　器　器　器　器

义 口 ＋ 口 ＋ 犬 ＋ 口 ＋ 口

◆ 机器 machine　电器

25.* 寓　12　Ⓑ　yù

寓 寓 寓 寓 寓 寓 寓 寓 寓 寓 寓 寓

宀 ＋ 禺

公寓

26. 卫　3　Ⓑ　wèi

卫 卫 卫

卫生 hygiene　卫生间 bathroom, washroom, toilet　卫生纸 toilet paper

卫兵 guard　卫星 satellite

27.* 厨　12　Ⓑ　chú

厨 厨 厨 厨 厨 厨 厨 厨 厨 厨 厨 厨

厂 ＋ 尌

厨房　厨师 chef

28. 答　12　Ⓑ　dá　to reply

答 答 答 答 答 答 答 答 答 答 答 答

竹 ＋ 合

回答

29. 思　9　Ⓑ　sī

思 思 思 思 思 思 思 思 思

田 ＋ 心

这句话是什么意思?　这个故事很有意思!

给您带来这么多的麻烦,真不好意思!

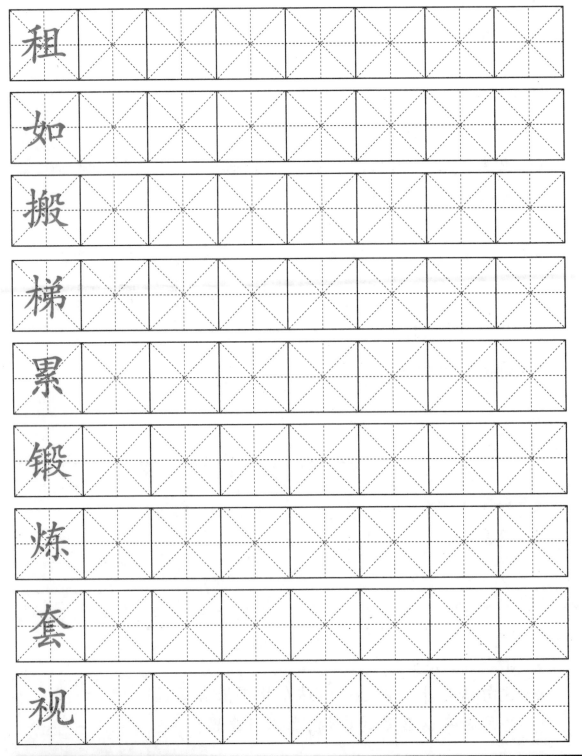

租
如
搬
梯
累
锻
炼
套
视

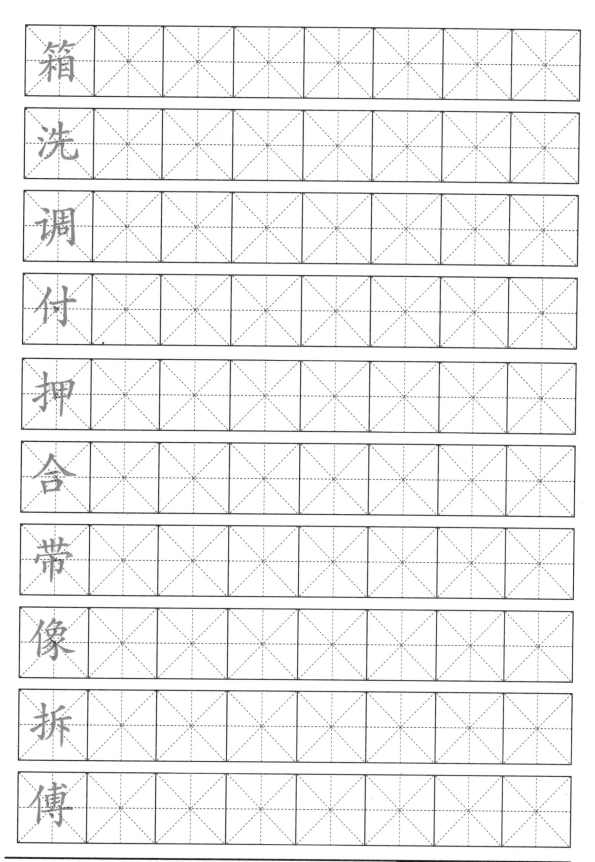

箱

洗

调

付

押

合

带

像

拆

傅

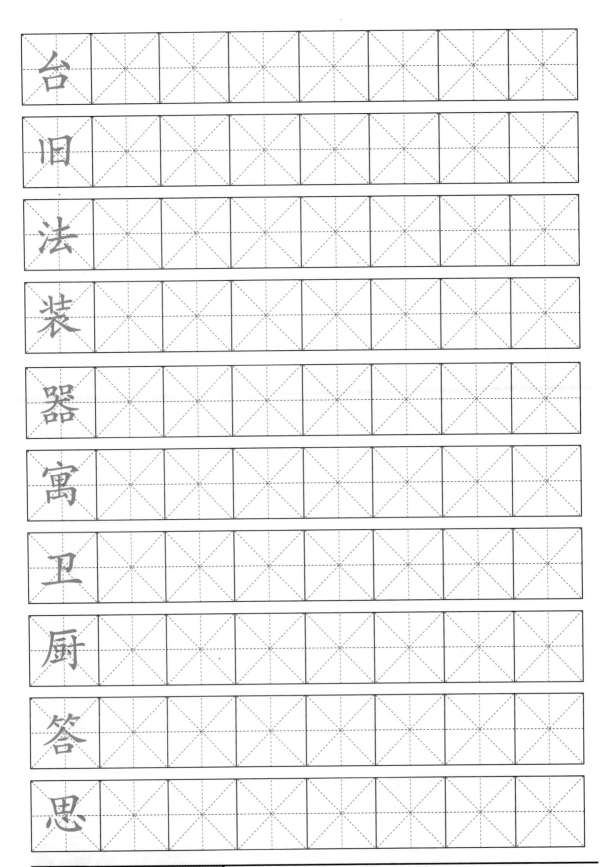

一、写出含有下列偏旁的汉字：

Write Chinese characters with these radicals：

⺮ zhúzìtóu   (the "bamboo" top)

亻 dānrénpáng   (the "single-person" side)

扌 tíshǒupáng   (the "hand" side)

氵 sāndiǎnshuǐ   (the "water" side)

二、补上丢失的笔画：

Supply the missing strokes：

折   俏   搬   锻   停

三、组词：

Form words or phrases：

和 (   )   租 (   )

诉 (   )   拆 (   )

练 (   )   炼 (   )

第 (   )   梯 (   )

想 (   )   箱 (   )

合 (   )   会 (   )

台 (   )   始 (   )

视 (   )   现 (   )

四、看拼音写汉字:

Write Chinese characters according to the *pinyin*:

1. Tā měi tiān dōu duànliàn shēntǐ.

2. Rúguǒ nǐ xiǎng zū dehua, xiànzài jiù kěyǐ bān-jìnqu.

3. Kōngtiáo mǎi-huílai le, hái méi zhuāng-shàngqu.

4. Zhèxiē wèntí hétóng shang dōu méi xiě qīngchu.

五、猜一猜下面的句子是什么意思:

Guess the meanings of these sentences:

1. 最好的办法是租一辆自行车,走遍全城。

2. 如果你心里有什么想法,就说出来吧。

3. 他们搬家了。搬到哪儿去了,我也不知道。

4. 我想租一个公寓,两千块左右,有电话、有空调的,你能不能帮我找找?

5. 他住在二十一层,有一天,电梯坏了,他只好慢慢儿走上去。从那以后,他就找到了一个锻炼身体的好办法。

Points about Chinese characters

A great number of Chinese characters have complex structures with numerous strokes, and hence they are very inconvenient to write and hard to memorize. Therefore, people have tried to use simpler forms with fewer strokes as substitutes for the more complex forms. The former are called simplified forms and the latter, complex forms.

Who invented simplified characters? They were not invented by any one individual; rather, they evolved naturally by convention over a long period of time. When did simplified characters first appear? One might say that ever since there have been Chinese characters, there have been "lazy" ways of writing them, thus giving rise to simplified characters. According to the expert research of specialists, simplified forms existed as far back as the Inscriptions on Bones and Tortoise Shells from the Shang Dynasty, three thousand years ago.

Some of the simplified characters that we use today can be traced back to the Pre-Qin era. The following is a chart of simplified characters in chronological order.

The Pre-Qin Period (~246 B.C.): 从个礼气洒杀舍网无虫云……

The Han Dynasty (206 B.C. - A.D.200): 办达复号来麦台万杂灾……

The Wei, Jin, Northern, and Southern Dynasties (220- 581): 笔床断离乱猫声双袜邮……

The Sui and Tang Period (581-907): 宝辞干挂怜绳凶庄……

The Song and Yuan Period (960-1368): 边当灯点独对刚过观画还机节旧灵论罗梦难齐亲穷权劝伤实寿虽体条铁听厅务阳养医义园远……

The Ming and Qing Period (1368-1911): 帮贝布担胆挡夺奋凤妇赶钢归怀坏欢几艰厉么门脑乔桥扫县爷这……

Of course, these simplified characters were popular only among the common people. They were called "common characters" and did not receive official recognition.

After the founding of the People's Republic of China in 1949, in order to reduce learning difficulties and to promote education, the government started to collect, collate, and standardize common and variant characters. After lengthy discussions and careful research, the government announced the "Preliminary Plan to Simplify Chinese Characters" in 1956 and the "Index of Simplified Chinese Characters" in 1964.

第十课　我恐怕听不懂

汉字

1. 京　8　Ⓑ　jīng　capital

京 京 京 京 京 京 京 京

◆ 北京　南京

2. 剧　10　Ⓑ　jù　drama, play　劇

剧 剧 剧 剧 剧 剧 剧 剧 剧 剧

居　＋　刂

◆ 京剧　歌剧　opera　剧场　theatre

3. 懂　15　dǒng　to understand

懂 懂 懂 懂 懂 懂 懂 懂 懂 懂 懂 懂 懂 懂 懂

忄　＋　董（艹　＋　重）

◆ 听懂　看懂　你懂不懂我的意思？

4. 武 8 Ⓑ wǔ connected with boxing skill, swordplay, etc.

武 武 武 武 武 武 武 武

弋 + 止

武打　武力　force, military force

武装　arms　武器　weapon

---

5. 戏 6 xì drama, play 戲

戏 戏 戏 戏 戏 戏

又 + 戈

看戏　戏剧

---

6. 演 14 yǎn to perform

演 演 演 演 演 演 演 演 演 演 演 演

氵 + 寅

他们演得很好。

演员　导演　to direct (a film, play); director

演出　to perform; performance

---

7. 员 7 Ⓑ yuán a person engaged in some field of activity 員

员 员 员 员 员 员 员

口 + 贝

演员　服务员　fúwùyuán　attendant, waiter

8. 报 7 bào newspaper 報

报 报 报 报 报 报 报

扌 + 艮

◆ 报纸 报告 report

人民日报 Rénmín Rìbào People's Daily

他天天看报。

---

9. 纸 7 zhǐ paper 紙

纸 纸 纸 纸 纸 纸 纸

纟 + 氏

◆ 一张纸

纸上写着什么？

---

10. 挺 9 tǐng very

挺 挺 挺 挺 挺 挺 挺 挺 挺

扌 + 廷

◆ 挺好 挺不错

---

11. 座 10 zuò seat

座 座 座 座 座 座 座 座 座

广 + 坐

◆ 座位

一座大楼 一座大山

12. 睛 13 Ⓑ jīng eye

睛 睛 睛 睛 睛 睛 睛 睛 睛 睛 睛 睛 睛

目 + 青

◆ 眼睛

---

13. 赶 10 gǎn to rush for 趕

赶 赶 赶 赶 赶 赶 赶 赶 赶 赶

走 + 干

◆ 你赶几点的飞机?

14.* 堵 11 dǔ to stop up, to block up

堵 堵 堵 堵 堵 堵 堵 堵 堵 堵 堵

土 + 者

◆ 堵车　车太多,马路有点堵。

---

15. 连 7 lián including, even 連

连 连 连 连 连 连 连

车 + 辶

◆ 他太忙了,连星期天也不休息。

这个问题连孩子也能回答。

16. 爬　8　pá　to climb

爬 爬 爬 爬 爬 爬 爬 爬

爪 + 巴

爬山　爬上去　爬到山顶

---

17. 顶　8　Ⓑ　dǐng　top　頂

顶 顶 顶 顶 顶 顶 顶 顶

丁 + 页

山顶　头顶

---

18. 才　3　cái　only, not until, later or slower than expected

才 才 才

刚才　just now

房间里才四个人。　他们学校才三百个学生。

两点半上课,可是他三点钟才来。

汽车开得很慢,开了一个多小时才到那儿。

---

19. 平　5　píng　flat, level, even, smooth

平 平 平 平 平

平时　公平　fair

马路不平　flat。

20. 运 7 Ⓑ yùn motion, movement 運

　运 运 运 运 运 运 运

　云 + 辶

　运动

21.* 懒 16 lǎn lazy 懒

　懒 懒 懒 懒 懒 懒 懒 懒 懒 懒 懒 懒 懒 懒

　忄 + 赖（束 + 负）

　他很懒。

22. 注 8 Ⓑ zhù to pour, to fix

　注 注 注 注 注 注 注

　氵 + 主

　你要注意身体。

　请注意："注"和"住"是不一样的。

　过马路的时候要注意汽车。

23.* 建 8 jiàn to build, to set up

　建 建 建 建 建 建 建

　聿 + 廴

　我有一个建议。　我建议你学习打太极拳。

　我们打算在那儿建一座大楼。

24.* 议 5 Ⓑ yì opinion, view 議

议 议 议 议 议

讠 + 义

建议　议会 parliament

议员　Member of Parliament, Congressman

---

25. 跑 12 pǎo to run

跑 跑 跑 跑 跑 跑 跑 跑 跑 跑 跑 跑

足 + 包

他天天早上跑步。　他跑得没有我快。

---

26. 教 11 jiāo jiào to teach; teaching

教 教 教 教 教 教 教 教 教 教

孝(耂+孑) + 攵

我教jiāo 汉语。　我是教师 jiàoshī teacher

---

27. 拳 10 quán fist

拳 拳 拳 拳 拳 拳 拳 拳 拳 拳

龹 + 手

打拳 to box (sport)

28. 静　14　Ⓑ　jìng　quiet

静 静 静 静 静 静 静 静 静 静 静 静 静 静

青 ＋ 争

◆ 安静　平静　calm

29. 影　15　Ⓑ　yǐng　shadow, image, picture

影 影 影 影 影 影 影 影 影 影 影 影 影 影 影

景 (日 ＋ 京) ＋ 彡

◆ 电影　影子　shadow　这是我们班同学的合影　group photo

30. 杂　6　Ⓑ　zá　mixed　雜

杂 杂 杂 杂 杂 杂

九 ＋ 木

◆ 买一本杂志

31. 志　7　Ⓑ　zhì　records; ideal

志 志 志 志 志 志 志

士 ＋ 心

◆ 杂志　同志　comrade

写汉字

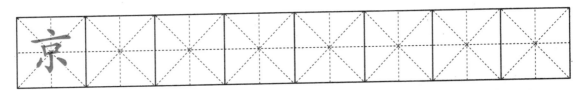
京

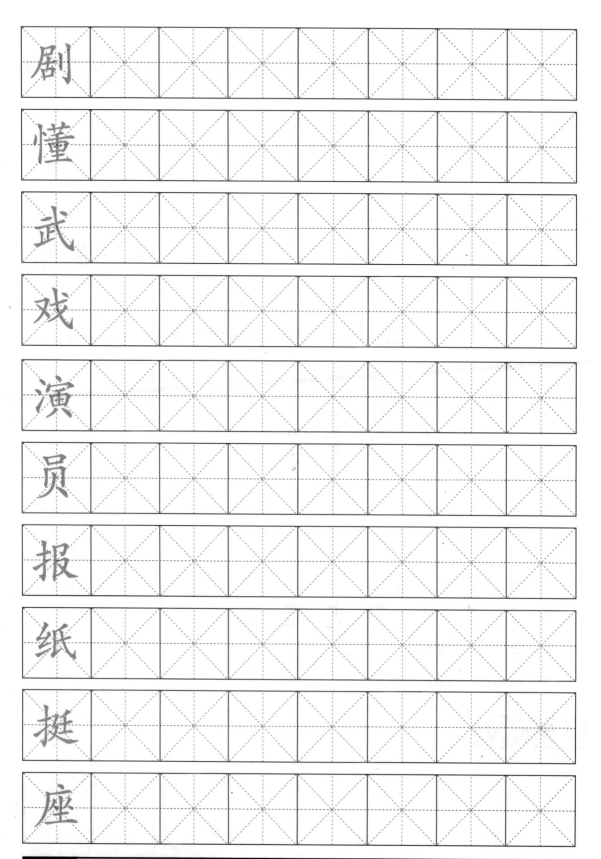

剧

懂

武

戏

演

员

报

纸

挺

座

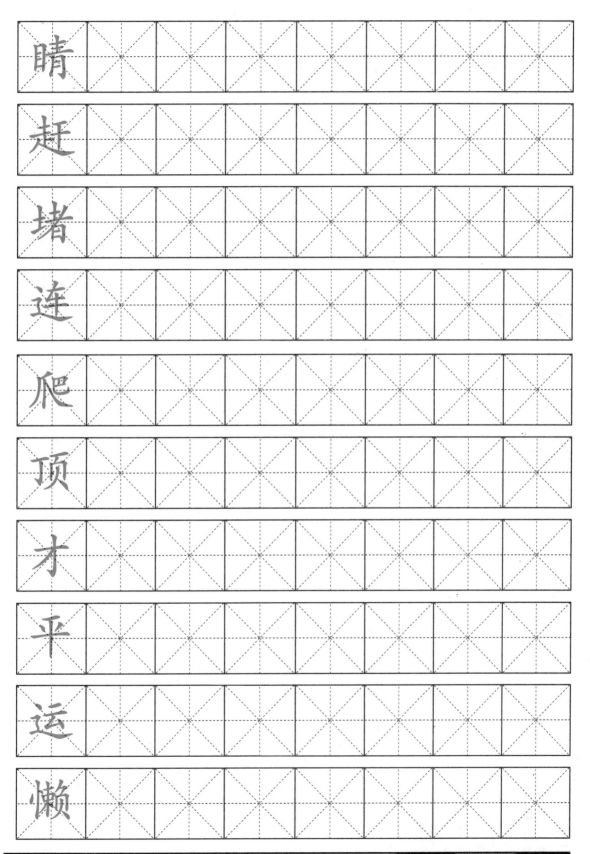

晴
赶
堵
连
爬
顶
才
平
运
懒

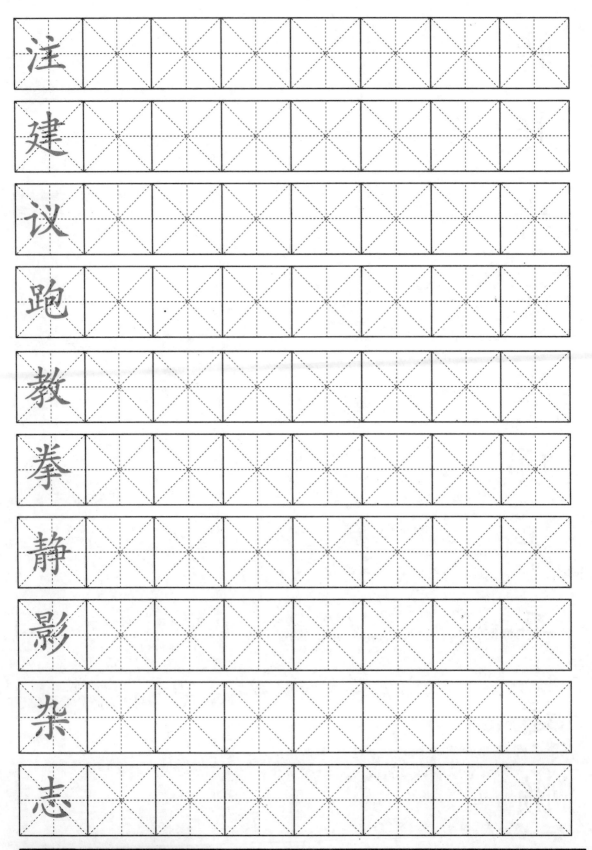

注

建

议

跑

教

拳

静

影

杂

志

一、写出含有下列偏旁的汉字：

Write Chinese characters containing these radicals：

忄　shùxīnpáng　　　　　　(the"heart"side)

心　xīnzìdǐ　　　　　　　　(the"heart"bottom)

扌　tíshǒupáng　　　　　　(the"hand"side)

氵　sāndiǎnshuǐ　　　　　　(the"water"side)

纟　jiǎosīpáng　　　　　　(the"silk"side)

辶　zǒuzhī　　　　　　　　(the"walking"part)

二、写出含有下列部件的汉字：

Write Chinese characters with these components：

青

京

巴

坐

走

三、组词：

Form words or phrases：

晴(　　　　)　　　晴(　　　　)

给(　　　　)　　　纸(　　　　)

找(　　　　)　　　戏(　　　　)

或（　　　　） 　　　 武（　　　　）

烦（　　　　） 　　　 顶（　　　　）

忘（　　　　） 　　　 志（　　　　）

四、看拼音写汉字：

Write Chinese characters acording to the *pinyin*:

1. Zhōngwén bàozhǐ nǐ kàn-de-dǒng ma?

2. Wǒ zuì xǐhuan de yùndòng shì pá shān.

3. Tā shǒu li ná zhe yì běn zázhì.

4. Nǐ jiāo wǒ dǎ Tàijíquán ba!

五、猜一猜下面的句子是什么意思：

Guess the meanings of these sentences：

1. 你们连这种东西也吃呀？在我们那儿，这种东西连狗都不吃。

2. 我需要一个安静的环境，现在住的地方从早到晚吵吵闹闹的，连睡觉都睡不好，还怎么工作？

3. 他以前是个京剧演员，他想教他的孩子唱京剧，可是孩子对京剧不感兴趣，他想做电影演员。

4. 每天早上，他在院子里打拳，她在院子外面打球；每个星期天，他出去爬山，她出去跑步。

5. 他们说了半天，我在旁边一句话也没听懂。我说，我听不懂他们在说什么，他们说，听不懂最好，那他们就放心了。

Points about Chinese characters

In northern China, when celebrating the New Year's Festival, some people write out the character 福 (fú happiness) very large and then paste it upside-down on the wall. Why do they do this? It is because "upside down" in Chinese is 倒了(dào le); the pronunciation of 倒(dào) is similar to that of 到 (dào to come), So 福倒了(fú dào le,fu is upside down), sounds just like 福到了(fú dào le,happiness has come). This method of using homophonic sounds to express wish-fulfilment is called "oral fortune".

第十一课　我把钱包忘在车上了

汉字

1. 丢　6　diū　to lose

　　丢 丢 丢 丢 丢 丢

　◆ 我的钱包丢了。　我丢了钱包。

　　丢面子 lose face　丢人 lose face

2. 把　7　bǎ

　　把 把 把 把 把 把 把

　　才 ＋ 巴

　◆ 一把雨伞　把手 handle

　　把房间出租给别人

3. 糟　17　zāo　bad

糟 糟 糟 糟 糟 糟 糟 糟 糟 糟 糟 糟 糟 糟 糟 糟

米 ＋ 曹

糟糕　他这一次考糟了。

4. 糕　16　gāo　cake

糕 糕 糕 糕 糕 糕 糕 糕 糕 糕 糕 糕 糕 糕 糕 糕

米 ＋ 羔

糟糕　蛋糕　糕点　pastry

5. 搞　13　gǎo　to do

搞 搞 搞 搞 搞 搞 搞 搞 搞 搞 搞 搞 搞

扌 ＋ 高

你怎么搞的！

你一定要跟他们搞好关系。　You must build good relations with them.

6. 记　5　jì　to remember, to bear in mind　記

记 记 记 记 记

讠 ＋ 己

生词太多,我记不住。

今天学习的汉字你都记住了吗?

我以前好像见过他,可是他的名字我不记得了。

7. 扔　5　rēng　to throw

扔 扔 扔 扔 扔

扌 + 乃

把球扔过来!

这些东西别扔了,以后还有用。

---

8. 垃　8　Ⓑ　lā

垃 垃 垃 垃 垃 垃 垃 垃

土 + 立

垃圾

---

9. 圾　6　Ⓑ　ji

圾 圾 圾 圾 圾 圾

土 + 及

垃圾

---

10. 司　5　Ⓑ　sī

司 司 司 司 司

公司　司机　driver

---

11. 乘　10　chéng　to ride, to take (bus, train, etc.)

乘 乘 乘 乘 乘 乘 乘 乘 乘 乘

乘出租汽车　乘火车　乘飞机

乘客　passenger

12. 它　5　tā　it

　　它 它 它 它 它

　　宀 ＋ 匕

13. 码　8　Ⓑ　mǎ　碼

　　码 码 码 码 码 码 码 码

　　石 ＋ 马

　　号码　码头 wharf, dock

14. 宾　10　Ⓑ　bīn　guest

　　宾 宾 宾 宾 宾 宾 宾 宾 宾 宾

　　宀 ＋ 兵

　　宾馆

15. 址　7　Ⓑ　zhǐ　address

　　址 址 址 址 址 址 址

　　土 ＋ 止

　　地址

16. 转　8　zhuǎn　to turn, to shift, to pass on　轉

　　转 转 转 转 转 转 转 转

　　车 ＋ 专

　　请把这件礼物转交给她。

　　他回来以后,请你转告他,明天晚上我请他吃饭。

17. 急　9　jí　impatient, anxious, in a hurry

急 急 急 急 急 急 急 急 急

刍 ＋ 心

◆ 着急　　你不要急。

他急忙走了。　He hurried off.

---

18. 骂　9　mà　to curse, to swear (at sb.)　罵

骂 骂 骂 骂 骂·骂 骂 骂 骂

口 ＋ 口 ＋ 马

◆ 别学骂人话。

孩子做错了事,你别骂他。

---

19. 顿　10　dùn　頓

顿 顿 顿 顿 顿 顿 顿 顿 顿 顿

屯 ＋ 页

◆ 一顿饭　打了一顿

---

20. 护　7　Ⓑ　hù　to protect　護

护 护 护 护 护 护 护

扌 ＋ 户

◆ 护照　爱护　take good care of

21. 其　8　Ⓑ　qí

❈ 其 其 其 其 其 其 其 其

◆ 其他

---

22. 证　7　Ⓑ　zhèng　to prove; proof, certificate　證

❈ 证 证 证 证 证 证 证

◐ 讠　+　正

◆ 证件　credentials　证明　to prove; proof　证书　certificate

身份证　shēnfènzhèng　identification card

学生证　借书证

---

23. 袋　11　dài　pocket, bag

❈ 袋 袋 袋 袋 袋 袋 袋 袋 袋 袋 袋

✕ 代　+　衣

◆ 口袋　睡袋　sleeping bag　一袋大米　a sack of rice

---

24. 诚　8　Ⓑ　chéng　honest　誠

❈ 诚 诚 诚 诚 诚 诚 诚 诚

◐ 讠　+　成

◆ 他很诚实。　他是一个诚实的人。

25. 实　8　Ⓑ　shí　fact, true, honest　實

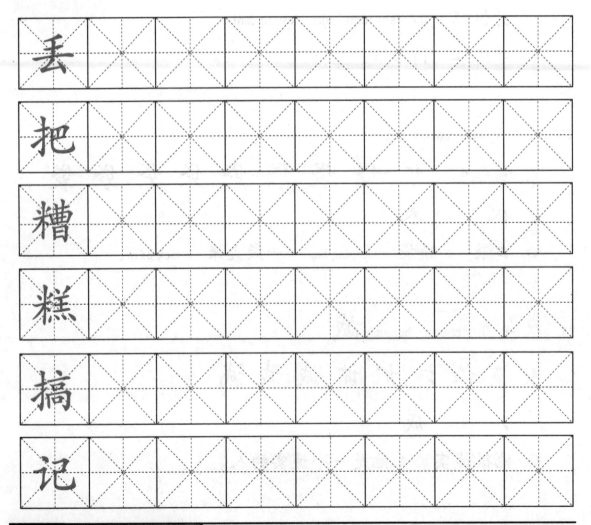

✳ 实 实 实 实 实 实 实 实

✖ 宀 ＋ 头

◆ 事实　fact　真实　true

说实话　tell the truth

实现他的理想　realize his ideal

对不起，实在 really 对不起！

写汉字

丢

把

糟

糕

搞

记

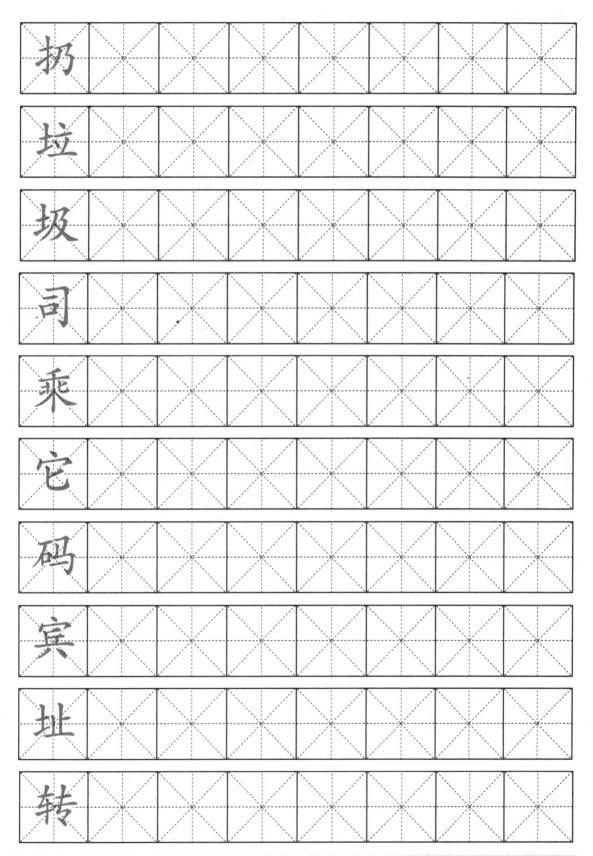

扔
垃
圾
司
乘
它
码
宾
址
转

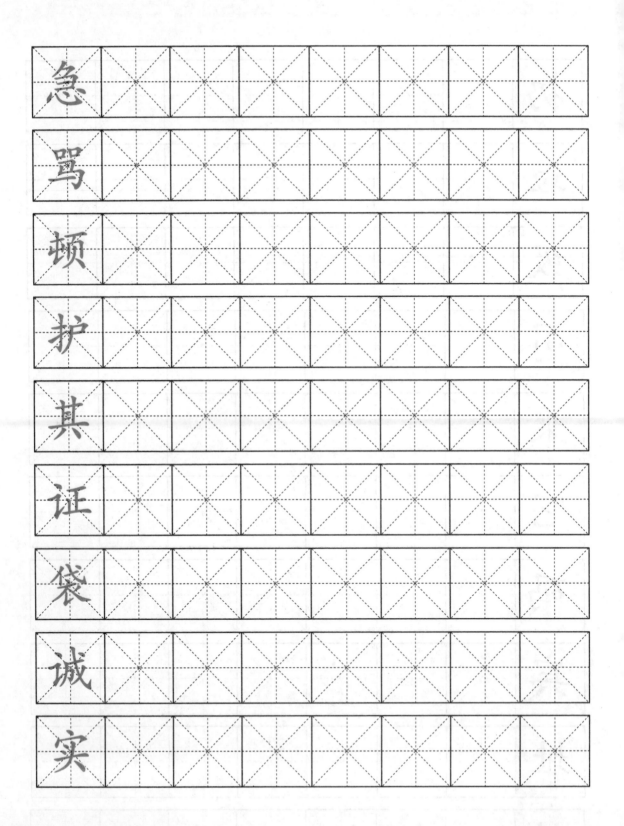

一、写出含有下列偏旁的汉字：

Write Chinese characters containing these radicals:

米　mǐzìpáng　　　　(the"rice"side)

土　títǔpáng　　　　(the"earth/soil"side)

讠　yánzìpáng　　　　(the"words/speech"side)

扌　tíshǒupáng　　　　(the"hand"side)

二、写出含有下列部件的汉字：

Write Chinese characters with these components:

其

匕

马

页

及

交

头

三、组词：

Form words or phrases:

扔（　　　）　　　奶（　　　）

同（　　　）　　　司（　　　）

去（　　　）　　　丢（　　　）

较（　　　）　　　转（　　　）

装(　　)　　　　袋(　　)

城(　　)　　　　诚(　　)

实(　　)　　　　买(　　)

四、看拼音写汉字：

Write Chinese characters according to the *pinyin*:

1. Zāogāo! Wǒ de qiánbāo diū le.

2. Hùzhào, xuéshengzhèng dōu zài nà ge bāo li.

3. Tā bǎ bīnguǎn de dìzhǐ xiě-zài yì zhāng zhǐ shang.

4. Wǒ bǎ fāpiào rēng-dào lājīxiāng li qù le.

五、猜一猜下面的句子是什么意思：

Guess the meanings of these sentences:

1. 那些垃圾邮件常常把他搞得十分头疼。

2. 真不好意思，我没想到这件事办得这样糟糕。

3. 我们公司打算把总部搬到那儿去，因为，可以肯定地说，十年以后，那儿是东亚最重要的金融贸易中心。

4. 小偷把他钱包里的现金都拿走了，把钱包里的护照和其他证件扔在垃圾箱里。有一位工人发现了这些证件，把它们交给了警察。

5. 对每一位上车的乘客，司机总是点点头，说："您好！"对每一位下车的乘客，司机总是挥 huī 挥手，说："您走好，再见！"

Points about Chinese characters

Chinese characters were created to record the Chinese language. In order to record different words or phrases, different characters were created. However, in the course of development, some homophonic characters were borrowed to record words with different meanings. For example, 我 originally meant a kind of axe, but it was borrowed to express the first person "I". 来 originally meant "wheat", but it was borrowed to express the action "to come". 它 originally meant "snake", but it was borrowed to express the inanimate "it", while another character 蛇 was created for "snake".

>   *   *   *

Due to an ever-increasing cultural exchange with the Western world, some words and phrases with letters from foreign languages are now appearing in the Chinese language; for example, BP 机 (beeper), T 恤衫 (T shirt), VCD. These words or expressions have been included in *The Modern Chinese Dictionary.*

第十二课　差点儿被汽车撞了一下

汉字

1.* 透　10　tòu　fully, thoroughly

透 透 透 透 透 透 透 透 透 透

秀 ＋ 辶

树叶还没有红透。

我今天倒霉透了。

2. 取　8　qǔ　to fetch, to get

取 取 取 取 取 取 取 取

耳 ＋ 又

去银行取钱

取得 to gain, to acquire 很大的进步

3. 够 11 gòu enough

够 够 够 够 够 够 够 够 够 够 够

句 + 多

已经点了很多菜了,够了,不要再点了。

你的汉语进步很大,可是还不够流利。

---

4. 顺 9 shùn along; smoothly, successfully 顺

顺 顺 顺 顺 顺 顺 顺 顺 顺

川 + 页

顺着这条路一直走,前面就是我们学校。

祝你工作顺利!

顺便问一下 by the way

---

5. 脑 10 Ⓑ nǎo brain 腦

脑 脑 脑 脑 脑 脑 脑 脑 脑 脑

月 + 囟

他脑子很好。　他的脑子跟电脑差不多。

---

6. 寄 11 jì to post, to mail

寄 寄 寄 寄 寄 寄 寄 寄 寄 寄 寄

宀 + 奇(大 + 可)

这封信寄给谁?　这封信寄到哪儿去?

7. 挂　9　guà　to hang

挂 挂 挂 挂 挂 挂 挂 挂 挂

扌 + 圭

◆ 墙上　qiáng shang　on the wall　挂着一张照片。

去医院看病要先挂号。　　take a number and pay

寄挂号信比较放心。

---

8. 信　9　xìn　letter

信 信 信 信 信 信 信 信 信

亻 + 言

◆ 一封信　　寄信

相信　believe　信心　　confidence

---

9. 绿　11　lǜ　green　绿

绿 绿 绿 绿 绿 绿 绿 绿 绿 绿 绿

纟 + 录

◆ 草绿了,花开了,春天来了。

---

10. 灯　6　dēng　lamp　燈

灯 灯 灯 灯 灯 灯

火 + 丁

◆ 电灯　开灯　关灯

11. 偷　11　tōu　to steal

偷 偷 偷 偷 偷 偷 偷 偷 偷 偷 偷

亻 ＋ 俞

偷东西　小偷　thief

12. 霉　15　méi　mould, mildew

霉 霉 霉 霉 霉 霉 霉 霉 霉 霉 霉 霉 霉 霉 霉

雨 ＋ 每

倒霉　发霉　to go mouldy

13. 污　6　Ⓑ　wū　dirty

污 污 污 污 污 污

氵 ＋ 亏

污染　污水

14. 染　9　rǎn　to dye

染 染 染 染 染 染 染 染 染

氿 ＋ 木

污染　把头发染成红色

15. 严　7　yán　tight, strict　嚴

严 严 严 严 严 严 严

严重　老师对我们很严格 yángé　strict

门关得严严的。The door was tightly shut.

16. 重　9　zhòng　heavy

重 重 重 重 重 重 重 重 重

你有多重？　这个会 meeting, conference 很重要 important。

发生 to take place 了严重的交通事故。

重视　to pay attention to, to take something seriously

要重视环境问题。

---

17. 被　10　bèi

被 被 被 被 被 被 被 被 被 被

⋈ 衤 ＋ 皮

他的自行车被人偷走了。

---

18. 毒　9　dú　poison; poisonous

毒 毒 毒 毒 毒 毒 毒 毒 毒

⋈ 主 ＋ 母

毒品　narcotic drugs　毒气　poison gas

病毒　virus

---

19. 变　8　biàn　to change　變

变 变 变 变 变 变 变 变

⋈ 亦 ＋ 又

你变了。

这个地方变化 biànhuà　change　很大，变得我都认不出来了。

20. 又 2 yòu again

又 又

他昨天来过，今天早上又来了，他说他明天还要再来一次。

21.* 栽 10 zāi to plant

栽 栽 栽 栽 栽 栽 栽 栽 栽 栽

戈 + 木

在路的两边都栽上树。

前人栽树，后人乘凉。 One generation plants the trees under whose shade another generation rests.

22.* 砍 9 kǎn to cut

砍 砍 砍 砍 砍 砍 砍 砍 砍

石 + 欠

砍树

23. 政 9 Ⓑ zhèng politics

政 政 政 政 政 政 政 政 政

正 + 攵

政府 政治 zhèngzhì politics

24. 府 8 Ⓑ fǔ

府 府 府 府 府 府 府 府

广 + 付

政府

25. 随　11　Ⓑ　suí

随 随 随 随 随 随 随 随 随 随 随

阝　+　逌(有 + 辶)

◆ 请随便坐。　随便做什么都可以吗？

---

26. 草　9　cǎo　grass

草 草 草 草 草 草 草 草 草

艹　+　早

◆ 草地

---

27. 各　6　gè　each, every

各 各 各 各 各 各

夂　+　口

◆ 各人有各人的爱好 àihào hobby。

商店里有各种各样 all kinds of 的衣服，可是她都不喜欢。

---

28. 掉　11　diào　to drop, to fall

掉 掉 掉 掉 掉 掉 掉 掉 掉 掉

扌　+　卓

◆ 天上会掉下面包来吗？

他把家里的东西都卖掉了。

家里的钱都被他吃掉了。

29. 惜　11　Ⓑ　xī

惜 惜 惜 惜 惜 惜 惜 惜 惜 惜 惜

忄　+　昔

◆ 爱惜　cherish, treasure, use sparingly

这次机会 opportunity, chance 很难得 rare, 你要爱惜啊!

太可惜了。

30. 味　8　Ⓑ　wèi　taste

味 味 味 味 味 味 味 味

口　+　未

◆ 味道好极了!

他的课上得很有味道。

31. 保　9　Ⓑ　bǎo

保 保 保 保 保 保 保 保 保

亻　+　呆

◆ 一定要保护好环境。

保卫国家　defend the country

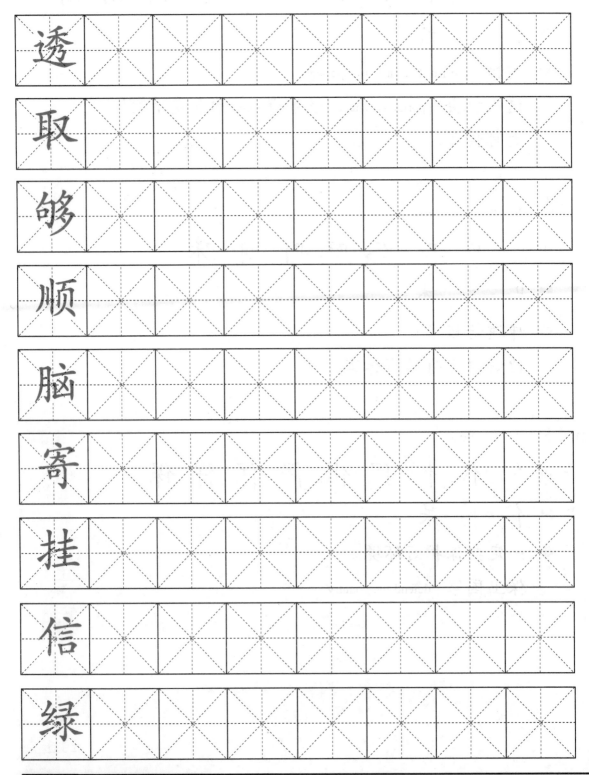

透
取
够
顺
脑
寄
挂
信
绿

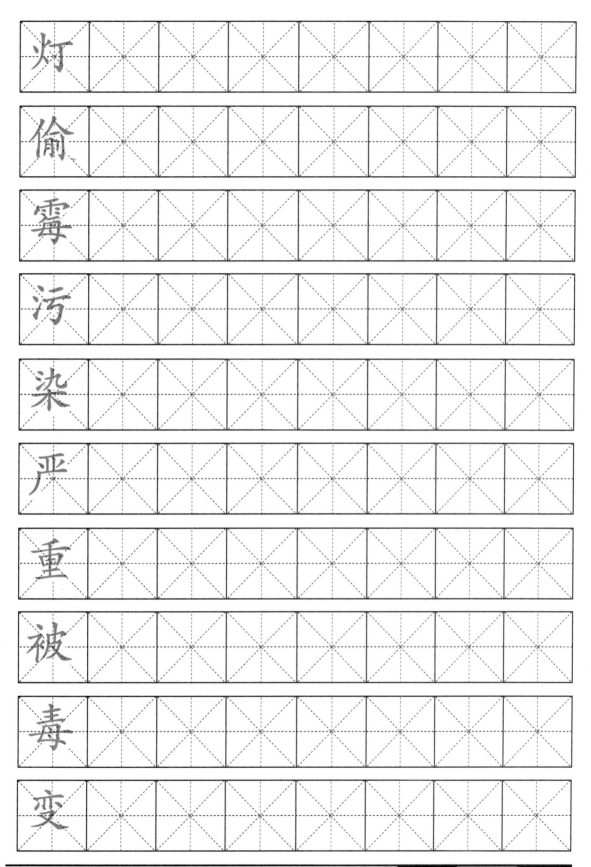

灯

偷

霉

污

染

严

重

被

毒

变

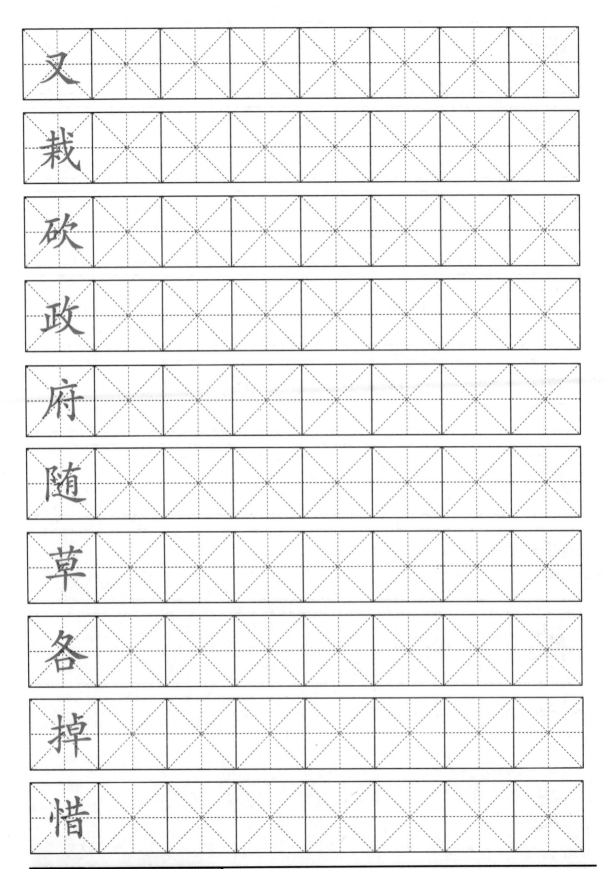

又

栽

砍

政

府

随

草

各

掉

惜

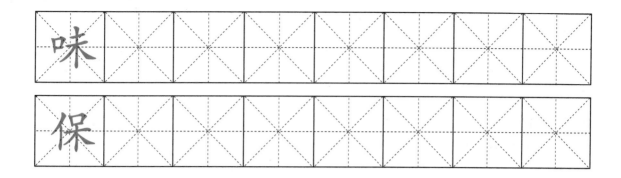

练习 Liànxí **Exercises**

一、写出含有下列偏旁的汉字:

Write Chinese characters containing these radicals:

亻 dānrénpáng   (the "single-person" side)

阝 zuǒ'ěrpáng   (the "left-ear/hill" side)

攵 fǎnwén   (the "tapping/rapping" side)

忄 shùxīnpáng   (the "heart" side)

二、写出含有下列部件的汉字:

Write Chinese characters with these components:

付
正
多
母
又

三、组词:

Form words or phrases:

候(　　)   信(　　)

名(　　)   各 (　　)

懂（　　） 重（　　）

霉（　　） 毒（　　）

四、看拼音写汉字：

Write Chinese characters according to the *pinyin*:

1. Héshuǐ wūrǎn hěn yánzhòng.

2. Wǒ de jiāxiāng biàn de yuèláiyuè měilì le.

3. Nàxiē jiù fángzi dōu bèi chāi-diào le.

4. Qǐng suíbiàn zuò, bié kèqi.

五、猜一猜下面的句子是什么意思：

Guess the meanings of these sentences:

1. 祝你一路顺风！

2. 我们相信你一定能把这个工作做好。我们对你有信心。

3. 大家都觉得，不能对这种不合法的做法开绿灯。

4. 在一个黑色的星期五，他的电脑病毒发作，电脑里的东西一点儿也没有了，他伤心得两天没吃饭。

5. 这本书写的是环境保护问题，书上说，地球只有一个，保护环境不只是政府部门的事，也是我们每一个人的事。

Points about Chinese characters

As a result of cultural and linguistic exchange over the ages, Chinese characters gradually spread beyond the area directly ruled by the Han people. Generally speaking, there were three routes by which they were transmitted to other ethnic groups and countries. (1) The first route went south and south-eastward through Guangxi (at that time occupied by the ancestors of the Zhuang people) to what is now called Vietnam, where Chinese characters in their original form were used alongside the native characters (*chu nom*), which were invented according to the formative principles of Chinese characters. Later, Chinese characters also spread along this route to the Miao, Yao, Buyi, Dong, Bai, Hani, Shui, and Lisu ethnic groups, who now inhabit parts of Sichuan, Guizhou, Yunnan, and Hunan provinces. (2) The second route went eastward into what is now Korea and Japan, where Chinese characters were used in their original forms and/or in scripts ultimately derived from them (for example, Japanese *kana*). (3) The third route stretched northward and north-westward into the territory of the Jurchen, Khitan, and Tangut peoples, all of whom developed their own distinctive scripts utilizing the formative principles of Chinese characters. All three of these peoples created states which were contemporary with the Song Dynasty.

According to scholars, there are about twenty non-Chinese languages that have used either Chinese characters, or scripts invented according to the same principles as Chinese characters. Some of them are still in formal use (e.g. *kanji* and *kana* in Japanese), some have disappeared long ago (e.g. the Jurchen, Khitan, and Tangut scripts), and some are presently dying out (e.g. *chu nom* in Vietnam or Chinese characters in North Korea).

汉字索引 Index of Chinese Characters

(Simplified characters)

A star * on the upper right side of a character indicates that it is optional (i.e., you are required to read it but not to write it). Characters not marked in this way are compulsory (316 in total, all of which you must learn to read and write). The number after a character indicates the lesson in which it first occurs. If a character that was optional in an earlier lesson becomes compulsory in a later lesson, then the first number refers to the lesson in which it becomes compulsory and the number in parentheses refers to the lesson in which it first appeared. If a character that was optional in volume one becomes compulsory in this volume, it will appear in both indexes of volume one and volume two.

1. 安 8	17. 宾 11	33. 场 8	49. 带 9
2. 吧 3	18. 冰 5	34. 唱 4	50. 袋 11
3. 把 11	19. 病 2	35. 吵 6	51. 但 1
4. 班 8	20. 博 *3	36. 城 1	52. 蛋 4
5. 搬 9	21. 步 6	37. 诚 11	53. 导 8
6. 办 1	22. 部 6	38. 乘 11	54. 倒 8
7. 包 2	23. 才 10	39. 迟 *8	55. 得 4 (1 děi)
8. 保 12	24. 参 3	40. 厨 *9	56. 灯 12
9. 报 10 (5)	25. 餐 *2	41. 楚 7	57. 登 *1
10. 杯 2	26. 草 12	42. 传 8	58. 低 5
11. 北 6	27. 厕 *2	43. 床 2	59. 第 3
12. 背 8	28. 层 6	44. 春 5	60. 调 9
13. 被 12	29. 查 *8	45. 次 3	61. 掉 12
14. 变 12	30. 察 *8	46. 村 6	62. 顶 10
15. 遍 7	31. 差 5	47. 错 2	63. 定 2
16. 标 *7	32. 拆 9	48. 答 9 (4)	64. 丢 11

65. 冬 5	95. 更 5	125. 极 5	155. 觉 2
66. 懂 10	96. 狗 1	126. 急 11 (2)	156. 开 6
67. 动 1	97. 够 12	127. 己 1	157. 砍 *12
68. 毒 12	98. 故 *8	128. 记 11	158. 考 7
69. 读 7	99. 刮 *5	129. 季 5	159. 刻 7
70. 堵 *10	100. 挂 12	130. 济 3	160. 肯 2
71. 肚 2	101. 观 3	131. 寄 12	161. 恐 *3
72. 度 5	102. 馆 3	132. 加 8	162. 库 6
73. 短 5	103. 规 3	133. 间 1	163. 快 3
74. 锻 9	104. 果 8	134. 检 *8	164. 款 *3
75. 顿 11	105. 孩 4	135. 件 4	165. 垃 11
76. 罚 *3	106. 海 6	136. 建 *10	166. 懒 *10
77. 法 9	107. 害 *3	137. 交 6	167. 乐 4
78. 烦 1	108. 航 8	138. 教 10	168. 累 9
79. 房 3	109. 喝 2	139. 节 5	169. 冷 5
80. 飞 1	110. 合 9	140. 结 8	170. 离 6
81. 风 5	111. 糊 *7	141. 介 7	171. 礼 4
82. 枫 *5	112. 互 7	142. 借 3	172. 理 8
83. 府 12	113. 护 11	143. 金 8	173. 力 7
84. 父 3	114. 花 1	144. 京 10	174. 历 3
85. 付 9	115. 滑 *5	145. 经 2	175. 厉 *3
86. 傅 9	116. 化 3	146. 睛 10	176. 丽 5
87. 该 3	117. 坏 8	147. 警 *8	177. 利 *4
88. 概 6	118. 欢 1	148. 净 2	178. 连 10
89. 赶 10	119. 环 6	149. 境 6	179. 练 7
90. 感 3	120. 活 4	150. 静 10	180. 炼 9
91. 糕 11 (4)	121. 火 3	151. 酒 4	181. 凉 5
92. 搞 11	122. 圾 11	152. 旧 9	182. 领 8
93. 歌 4	123. 机 1	153. 句 7	183. 流 *4
94. 各 12	124. 级 7	154. 剧 10	184. 龙 6

185. 楼 6	215. 平 10	245. 史 3	275. 条 1
186. 绿 12	216. 破 8	246. 始 7	276. 跳 4
187. 麻 1	217. 普 *7	247. 视 9	277. 厅 *2
188. 码 11	218. 期 3	248. 试 7	278. 听 1
189. 骂 11	219. 其 11	249. 室 6	279. 挺 10
190. 慢 *7	220. 器 9	250. 手 8	280. 通 6 (3)
191. 猫 *1	221. 轻 4	251. 舒 *2	281. 统 4
192. 贸 8	222. 清 7	252. 熟 *1	282. 偷 12
193. 霉 12	223. 晴 5	253. 属 *4	283. 透 *12
194. 美 4	224. 秋 5	254. 树 6	284. 涂 *7
195. 母 3	225. 取 12	255. 摔 8	285. 推 *8
196. 拿 3	226. 趣 3	256. 睡 2	286. 完 2
197. 奶 2	227. 拳 10	257. 顺 12	287. 忘 7
198. 南 6	228. 然 3	258. 司 11	288. 卫 9
199. 难 7	229. 染 12	259. 思 9	289. 味 12
200. 脑 12	230. 热 5	260. 死 6	290. 温 5
201. 闹 6	231. 认 4	261. 送 4	291. 污 12
202. 鸟 1	232. 扔 11	262. 宿 2	292. 武 10
203. 农 6	233. 容 7	263. 算 3	293. 舞 4
204. 努 7	234. 融 *8	264. 随 12	294. 物 1
205. 暖 5	235. 如 9	265. 所 1	295. 悉 *1
206. 爬 10	236. 伞 8	266. 它 11	296. 惜 12
207. 怕 3	237. 散 6	267. 台 9	297. 席 *4
208. 拍 1	238. 伤 8	268. 谈 7	298. 洗 9
209. 排 8	239. 绍 7	269. 套 9	299. 喜 1
210. 跑 10	240. 舍 2	270. 特 4	300. 戏 10
211. 陪 1	241. 身 8	271. 疼 2	301. 夏 5
212. 片 1	242. 识 4	272. 梯 9	302. 鲜 2
213. 票 1	243. 食 7	273. 题 4	303. 乡 5
214. 品 7	244. 实 11	274. 体 8	304. 相 7

305. 箱 9

306. 像 9

307. 些 1

308. 谢 8

309. 新 2

310. 信 12

311. 修 8

312. 需 6

313. 雪 5

314. 押 9

315. 严 12

316. 演 10

317. 养 1

318. 药 2

319. 业 7

320. 叶 5

321. 医 2

322. 已 2

323. 议 *10

324. 易 7

325. 意 3

326. 应 3

327. 迎 1

328. 影 10

329. 泳 5

330. 优 4

331. 游 5

332. 又 12

333. 鱼 1

334. 雨 5

335. 玉 4

336. 预 *5

337. 寓 *9

338. 员 10

339. 院 2

340. 阅 *7

341. 越 4

342. 云 5

343. 运 10

344. 杂 10

345. 栽 *12

346. 咱 4

347. 糟 11

348. 照 1

349. 正 2

350. 证 11

351. 政 12

352. 址 11

353. 纸 10

354. 志 10

355. 钟 7

356. 种 7

357. 重 12

358. 主 4

359. 住 2

360. 注 10

361. 祝 4

362. 专 7

363. 转 11

364. 装 9

365. 撞 8

366. 准 *7

367. 着 8(2 zháo)

368. 总 4

369. 租 9

370. 昨 2

371. 座 10

漢字索引 Index of Chinese Characters
(Complex characters)

A star * on the upper right side of a character indicates that it is optional (i.e., you are required to read it but not to write it). Characters not marked in this way are compulsory (316 in total, all of which you must learn to read and write). The number after a character indicates the lesson in which it first occurs. If a character that was optional in an earlier lesson becomes compulsory in a later lesson, then the first number refers to the lesson in which it becomes compulsory and the number in parentheses refers to the lesson in which it first appeared. If a character that was optional in volume one becomes compulsory in this volume, it will appear in both indexes of volume one and volume two.

1. 安 8	17. 賓 11	33. 場 8	49. 帶 9
2. 吧 3	18. 冰 5	34. 唱 4	50. 袋 11
3. 把 11	19. 病 2	35. 吵 6	51. 但 1
4. 班 8	20. 博 *3	36. 城 1	52. 蛋 4
5. 搬 9	21. 步 6	37. 誠 11	53. 導 8
6. 辦 1	22. 部 6	38. 乘 11	54. 倒 8
7. 包 2	23. 才 10	39. 遲 *8	55. 得 4 (1 děi)
8. 保 12	24. 參 3	40. 廚 *9	56. 燈 12
9. 報 10 (5)	25. 餐 *2	41. 楚 7	57. 登 *1
10. 杯 2	26. 草 12	42. 傳 8	58. 低 5
11. 北 6	27. 廁 *2	43. 床 2	59. 第 3
12. 背 8	28. 層 6	44. 春 5	60. 調 9
13. 被 12	29. 查 *8	45. 次 3	61. 掉 12
14. 變 12	30. 察 *8	46. 村 6	62. 頂 10
15. 遍 7	31. 差 5	47. 錯 2	63. 定 2
16. 標 *7	32. 拆 9	48. 答 9 (4)	64. 丟 11

65. 冬 5	95. 更 5	125. 極 5	155. 覺 2
66. 懂 10	96. 狗 1	126. 急 11 (2)	156. 開 6
67. 動 1	97. 够 12	127. 己 1	157. 砍 *12
68. 毒 12	98. 故 *8	128. 記 11	158. 考 7
69. 讀 7	99. 刮 *5	129. 季 5	159. 刻 7
70. 堵 *10	100. 挂 12	130. 濟 3	160. 肯 2
71. 肚 2	101. 觀 3	131. 寄 12	161. 恐 *3
72. 度 5	102. 館 3	132. 加 8	162. 庫 6
73. 短 5	103. 規 3	133. 間 1	163. 快 3
74. 鍛 9	104. 果 8	134. 檢 *8	164. 款 *3
75. 頓 11	105. 孩 4	135. 件 4	165. 垃 11
76. 罰 *3	106. 海 6	136. 建 *10	166. 懶 *10
77. 法 9	107. 害 *3	137. 交 6	167. 樂 4
78. 煩 1	108. 航 8	138. 教 10	168. 累 9
79. 房 3	109. 喝 2	139. 節 5	169. 冷 5
80. 飛 1	110. 合 9	140. 結 8	170. 離 6
81. 風 5	111. 糊 *7	141. 介 7	171. 禮 4
82. 楓 *5	112. 互 7	142. 借 3	172. 理 8
83. 府 12	113. 護 11	143. 金 8	173. 力 7
84. 父 3	114. 花 1	144. 京 10	174. 歷 3
85. 付 9	115. 滑 *5	145. 經 2	175. 屬 *3
86. 傳 9	116. 化 3	146. 晴 10	176. 麗 5
87. 該 3	117. 壞 8	147. 警 *8	177. 利 *4
88. 概 6	118. 歡 1	148. 净 2	178. 連 10
89. 趕 10	119. 環 6	149. 境 6	179. 練 7
90. 感 3	120. 活 4	150. 静 10	180. 煉 9
91. 糕 11 (4)	121. 火 3	151. 酒 4	181. 涼 5
92. 搞 11	122. 圾 11	152. 舊 9	182. 領 8
93. 歌 4	123. 機 1	153. 句 7	183. 流 *4
94. 各 12	124. 級 7	154. 劇 10	184. 龍 6

185. 樓 6	215. 平 10	245. 史 3	275. 條 1
186. 綠 12	216. 破 8	246. 始 7	276. 跳 4
187. 麻 1	217. 普 *7	247. 視 9	277. 廳 *2
188. 碼 11	218. 期 3	248. 試 7	278. 聽 1
189. 罵 11	219. 其 11	249. 室 6	279. 挺 10
190. 慢 *7	220. 器 9	250. 手 8	280. 通 6 (3)
191. 猫 *1	221. 輕 4	251. 舒 *2	281. 統 4
192. 貿 8	222. 清 7	252. 熟 *1	282. 偷 12
193. 霉 12	223. 晴 5	253. 屬 *4	283. 透 *12
194. 美 4	224. 秋 5	254. 樹 6	284. 塗 *7
195. 母 3	225. 取 12	255. 摔 8	285. 推 *8
196. 拿 3	226. 趣 3	256. 睡 2	286. 完 2
197. 奶 2	227. 拳 10	257. 順 12	287. 忘 7
198. 南 6	228. 然 3	258. 司 11	288. 衛 9
199. 難 7	229. 染 12	259. 思 9	289. 味 12
200. 腦 12	230. 熱 5	260. 死 6	290. 溫 5
201. 鬧 6	231. 認 4	261. 送 4	291. 汙 12
202. 鳥 1	232. 扔 11	262. 宿 2	292. 武 10
203. 農 6	233. 容 7	263. 算 3	293. 舞 4
204. 努 7	234. 融 *8	264. 隨 12	294. 物 1
205. 暖 5	235. 如 9	265. 所 1	295. 悉 *1
206. 爬 10	236. 傘 8	266. 它 11	296. 惜 12
207. 怕 3	237. 散 6	267. 台 9	297. 席 *4
208. 拍 1	238. 傷 8	268. 談 7	298. 洗 9
209. 排 8	239. 紹 7	269. 套 9	299. 喜 1
210. 跑 10	240. 舍 2	270. 特 4	300. 戲 10
211. 陪 1	241. 身 8	271. 疼 2	301. 夏 5
212. 片 1	242. 識 4	272. 梯 9	302. 鮮 2
213. 票 1	243. 食 7	273. 題 4	303. 鄉 5
214. 品 7	244. 實 11	274. 體 8	304. 相 7

305. 箱 9
306. 像 9
307. 些 1
308. 謝 8
309. 新 2
310. 信 12
311. 修 8
312. 需 6
313. 雪 5
314. 押 9
315. 嚴 12
316. 演 10
317. 養 1
318. 藥 2
319. 業 7
320. 葉 5
321. 醫 2

322. 巳 2
323. 議 *10
324. 易 7
325. 意 3
326. 應 3
327. 迎 1
328. 影 10
329. 泳 5
330. 優 4
331. 遊 5
332. 又 12
333. 魚 1
334. 雨 5
335. 玉 4
336. 預 *5
337. 寓 *9
338. 員 10

339. 院 2
340. 閱 *7
341. 越 4
342. 雲 5
343. 運 10
344. 雜 10
345. 栽 *12
346. 咱 4
347. 糟 11
348. 照 1
349. 正 2
350. 證 11
351. 政 12
352. 址 11
353. 紙 10
354. 志 10
355. 鍾 7

356. 種 7
357. 重 12
358. 主 4
359. 住 2
360. 注 10
361. 祝 4
362. 專 7
363. 轉 11
364. 裝 9
365. 撞 8
366. 準 *7
367. 著 8(2 zháo)
368. 總 4
369. 租 9
370. 昨 2
371. 座 10

责任编辑：贾寅淮
封面设计：王　博
插　　图：笑　龙
印刷监制：佟汉冬

国家汉办网址：www.hanban.edu.cn
联系地址：北京市海淀区学院路 15 号，北京华图汉语文化服务中心
电　　话：82303678　62323491
传　　真：82303983

《当代中文》
汉字本
2
主编　吴中伟
*
©华语教学出版社
华语教学出版社出版
（中国北京百万庄大街 24 号）
邮政编码　100037
电话: 010-68995871
传真: 010-68326333
网址: www.sinolingua.com.cn
电子信箱: hyjx@sinolingua.com.cn
北京市松源印刷有限公司印刷
中国国际图书贸易总公司海外发行
（中国北京车公庄西路 35 号）
北京邮政信箱第 399 号　邮政编码 100044
新华书店国内发行
2003 年（16 开）第一版
2006 年第二次印刷
（汉英）
ISBN 7 – 80052 – 903 – 7/ H · 1457(外)
9 – CE – 3520PB
定价：55.80